D0525511

un si beau
rêve

un si beau rêve

SUSAN MENDONCA

traduit de l'anglais par
François Lanctôt

ÉDITIONS HÉRITAGE
MONTRÉAL

Données de catalogage avant publication (Canada)

Mendoca, Susan

Un si beau rêve

(Coeur-à-coeur).
Traduction de: Broken dreams.
Pour adolescents.

ISBN 2-7625-3155-1

I. Titre. II. Collection.

PZ23.M46si 1988 j813'.54 C88-096330-

Dépôts légaux : 3e trimestre 1988
Bibliothèque nationale du Québec
Bibliothèque nationale du Canada

ISBN : 2-7625-3155-1 Imprimé au Canada

Photocomposition : DEVAL STUDIOLITHO INC.

LES ÉDITIONS HÉRITAGE INC.
300, Arran, Saint-Lambert, Québec J4R 1K5
(514) 875-0327

CHAPITRE UN

Julie se hisse hors de la piscine et, en secouant vigoureusement ses cheveux, elle asperge son ami Paul. Il l'enveloppe dans une grande serviette et la serre contre lui. Julie lui tend la bouche pour un baiser.

— Beurk ! J'ai l'impression d'embrasser un poisson !

— Merci du compliment ! C'est tout l'effet que ça te fait?

— Non, mais tu es toute froide et mouillée. Beurk !

— Ce soir, ton poisson va changer ses écailles pour une belle robe.

— Je ne te reconnaîtrai plus, dit Paul en la prenant encore dans ses bras.

— Si tu préfères, je peux rester comme je suis.

Elle ouvre la serviette pour lui montrer son maillot rouge passablement élimé. Julie et Paul sont membres des équipes de natation et de tennis du cégep Raoul-Jobin.

— Tu ferais sensation, habillée comme ça ! La sirène de la danse, dit Paul avec un petit sourire en coin.

— Génial ! Tu me donnes une bonne idée pour la

danse de l'an prochain. Je me déguiserai en Julie, la déesse sous-marine !

— Tes blagues ne s'améliorent pas, mais heureusement tu nages beaucoup mieux maintenant, dit Paul en jetant un coup d'oeil à sa montre de plongée, que sa mère lui a offerte en cadeau. Si je veux faire de la planche à voile avant la danse, je fais mieux d'y aller tout de suite.

— Accompagne-moi au moins jusqu'au vestiaire.

Julie contemple un moment le visage de son ami Paul, son sourire en coin et ses yeux verts qui brillent de malice. Elle l'enlace et le serre très fort.

— Aie ! Qu'est-ce qui se passe? dit Paul, tout surpris. Tu ne m'as pas habitué à ce genre de démonstration... On se revoit ce soir, tu sais !

— Je ne sais pas ce qui m'a pris, mais j'ai eu envie de te serrer très fort, voilà !

Julie et Paul ont exactement la même taille, sauf quand Julie met des chaussures à talons hauts pour les occasions spéciales, comme la danse de ce soir.

— Je passe te prendre vers huit heures, d'accord?

Paul effleure la joue de Julie avec ses lèvres, une habitude qu'il a prise dès le début de leur relation et qui ravit Julie.

— Et n'oublie pas de mettre une robe ! rajoute-t-il, taquin.

— Très drôle ! répond Julie en le regardant franchir le tourniquet. Elle admire sa démarche souple et sa carrure d'athlète.

Paul et Julie sortent ensemble depuis un an. Ils s'entendent à merveille et ont une foule d'intérêts communs. Ils sont sportifs tous les deux et ont choisi de poursuivre leurs études en éducation physique à l'université. Paul veut devenir entraîneur d'une équipe professionnelle et Julie se destine à l'enseignement, ou peut-être même à une carrière d'entraîneur, elle aussi.

Les sports occupent une partie importante de la vie de Julie, et son père en est parfois irrité. Il croit qu'elle devrait consacrer plus de temps à ses études, mais elle n'arrive pas à sacrifier les heures nécessaires à son entraînement pour se coller le nez dans des livres.

Heureusement, Paul est tout à fait comme elle. Il doit bûcher tard la nuit pour décrocher une moyenne de B à l'école, sans quoi on ne le gardera pas dans l'équipe.

Le couple s'attire souvent des ennuis en s'exerçant très tard le soir. C'est d'ailleurs comme ça qu'ils ont fait connaissance, un beau soir d'automne. Ils étaient l'un derrière l'autre dans le rang pendant que l'entraîneur, monsieur Gaulin, choisissait les membres de l'équipe de natation. Une brume légère montait de la piscine sous l'éclairage blafard des projecteurs. L'humidité leur donnait la chair de poule et Julie n'avait qu'une idée : s'habiller et retourner chez elle au plus tôt pour se pelotonner bien au chaud. Elle se demandait qui était ce garçon qu'elle voyait pour la première fois, quand il avait dit à haute voix :

— Il faut avoir la couenne dure pour se soumettre à un tel régime. Quand pourrons-nous partir?

— Un instant, Martin, avait répliqué l'entraîneur. Vous êtes nouveau ici?

— Oui, mais je ne croyais pas que vous cherchiez des poissons pour faire l'équipe!

— Il ne s'appelle pas Marsouin, mais MARTIN! avait dit Julie avec un petit rire repris en choeur par les autres nageurs. Elle claquait des dents.

Paul avait souri et lui avait dit avec un clin d'oeil :

— Bon, ça va, j'aime bien les gens qui ont le sens de l'humour.

— Tant mieux, parce que je te prends dans l'équipe. Monsieur Gaulin mâchonnait son crayon. Ça y est, vous pouvez partir.

— On m'a dit que tu étais un champion, avait dit Julie en jetant à Paul un regard admiratif.

Paul avait enroulé sa serviette autour de son cou et souri modestement :

— Oui, je me défends. Mes mouvements sont mieux coordonnés dans l'eau que sur la terre ferme.

Paul n'avait pas dit toute la vérité, car il s'était avéré un adversaire redoutable sur les courts de tennis.

Au début, leur relation n'était qu'amicale. Julie

avait trouvé en Paul un partenaire épatant pour jouer au tennis et pour pratiquer la natation. Cependant, ils passaient toujours plus de temps ensemble et ils partageaient presque toutes leurs activités, si bien que, peu à peu, les liens s'étaient resserrés. L'amour s'était glissé entre eux, sans bruit, un amour que Julie n'aurait pas cru possible, car, comme beaucoup d'adolescentes, elle n'avait pas beaucoup de temps pour songer aux sorties et aux garçons.

Un jour où ils quittaient ensemble le court de tennis après une chaude partie, son amie Mado, qui les regardait jouer, lui avait dit : « Ça y est ! Je le vois dans tes yeux, tu es amoureuse de Paul ». Paul avait ri et il avait donné une petite tape sur les cuisses de Mado avec sa raquette. Julie avait ri aussi, mais en s'essuyant le cou, elle venait de se rendre compte que Mado avait vu juste. Elle était follement amoureuse de Paul, et elle n'y pouvait rien. Lorsqu'ils étaient arrivés au vestiaire, il l'avait attirée contre son coeur et lui avait donné son premier baiser. Leurs raquettes leur avaient échappé et avaient heurté le béton avec fracas. Julie ne devait jamais oublier ce premier baiser si tendre. Bien sûr, il y en eut beaucoup d'autres par la suite, mais c'est celui-là qui est resté gravé dans un coin privilégié de sa mémoire. La sensation avait été si douce et si nouvelle qu'elle en avait été bouleversée.

Il y a vraiment quelque chose de magique entre

nous, songe-t-elle en enfilant son survêtement. Personne n'a le don de l'intéresser et de l'amuser comme Paul, personne n'arrive à lui réchauffer le coeur comme lui.

Son fourre-tout en bandoulière, Julie sourit en pensant à la soirée qui s'annonce. Elle a hâte de danser avec Paul, qui est aussi habile sur une piste de danse que sur un court de tennis.

Paul détache sa planche à voile du toit de sa petite Toyota et se dirige vers le bord du lac. En installant le mât, il songe à Julie, à l'allure qu'elle avait tout à l'heure en sortant de la piscine avec ses cheveux mouillés et son sourire radieux. C'est étrange, mais l'image de Julie semble toujours planer parmi ses pensées, comme un tissu vaporeux agité par un souffle léger. Il aurait dû deviner qu'il s'éprendrait d'elle. Dès qu'elle avait lancé cette boutade idiote le soir de leur première rencontre, il avait compris qu'elle était spéciale. Une athlète avec un sens de l'humour, belle fille de surcroît ! Est-ce une coïncidence qu'ils aient les mêmes goûts, les mêmes intérêts? Est-ce le destin qui les a réunis? Coïncidence ou non, Paul n'est sûr que d'une chose : il aime Julie comme un fou.

Paul a un tempérament passionné. Avant Julie, il ne pensait qu'à s'entraîner et à faire carrière dans les sports. Maintenant, sa vie est beaucoup plus équilibrée. Grâce à elle, il apprécie la douceur de vivre et il voit le monde d'un autre oeil. Lui qui ne vivait que pour la compétition et la victoire, il est devenu beaucoup plus serein et s'entraîne maintenant dans un esprit de saine émulation. Il est plus confiant qu'auparavant. Lorsqu'il n'est pas satisfait de ses performances à la piscine, il reste calme et surveille ses lacunes pour mieux les corriger. Souvent, il songe que Julie est toute sa force, tout son bonheur. Sans elle, il n'aurait plus le même enthousiasme pour les sports et la vie perdrait son charme.

Sa mère lui reproche de passer trop de temps avec Julie et de négliger tout le reste.

— Écoute maman, si ce n'était des sports que nous pratiquons ensemble, je ne la verrais pratiquement jamais.

— C'est malheureux qu'elle ne s'intéresse pas aux études. Elle réussirait peut-être à te faire travailler un peu.

— Voyons, maman ! Le fait d'être dans l'équipe de natation me force à étudier, car si je n'obtiens pas une note suffisante, je serai renvoyé, tu le sais bien.

Il est obsédé par la menace du renvoi. C'est presque impossible de tout faire en même temps. La plupart des heures passées avec Julie servent à s'exercer au tennis ou à s'entraîner intensivement à la piscine. Les journées de détente sont très rares, et cela fait bien six mois qu'il n'a pas eu un moment pour flâner.

Paul appartient à une famille énergique. Ses parents ont divorcé quand il était petit, et sa mère a dû retourner sur les bancs d'école tout en travaillant pour assurer leur subsistance. Madame Martin parvient toujours à touver le temps pour faire une foule de choses, même si les journées n'ont que vingt-quatre heures. Par le fait même, elle est très exigeante à l'égard de Paul et de ses frères aînés, Serge et Christian.

Madame Martin n'aime pas la planche à voile. Selon elle, c'est un sport qui ne mène nulle part. Pourtant, quand Paul file sur l'eau, il exulte. Il se sent libre et prend un grand plaisir à manier sa voile en se balançant au gré du vent ; il aime relever le défi et réussir à rester en équilibre sur la planche.

Toutefois, en se dirigeant vers le quai avec sa planche, Paul ne pense à rien de tout cela. Il songe à ce soir, au moment où il dansera avec Julie.

CHAPITRE DEUX

— Ça va être un choc de te voir en robe, ce soir! dit Mado. Elle est assise à la table de toilette de Julie pendant que celle-ci retire les rouleaux de ses longs cheveux blonds. Mado vient de coller ses faux-cils et elle bat rapidement des paupières pour habituer ses yeux.

— Je ne peux pas croire que Paul et toi allez trouver le temps de venir au bal.

— Paul aussi trouve cela incroyable. Il m'a même rappelé de mettre une robe! J'espère qu'il ne s'amènera pas en jean.

— Avec lui, on ne sait jamais... avec toi non plus, d'ailleurs!

Julie jette un coup d'oeil à sa robe vert pomme, qui détone étrangement au milieu des trophées et des banderolles de toute sorte. L'ameublement fonctionnel et sobre contraste aussi avec la table de toilette couverte de pots de cosmétiques.

Ces contrastes sont à l'image de la personnalité de Julie. Elle adore se mettre en beauté de temps à autre et quand elle s'y met, c'est avec beaucoup de soins. Elle choisit des vêtements qui ne se démodent pas et quand elle aime un ensemble, elle l'use jusqu'à la corde. La robe verte de ce soir, elle l'a choisie avec son père, qui aurait préféré quelque chose de plus habillé pour sa fille. Mais quand Julie a décidé quelque chose, impossible de la faire changer d'idée.

Monsieur Ducharme s'étonne toujours de l'esprit de décision de sa fille, de sa façon d'envisager l'avenir et la vie en général. Pourtant, il ne devrait pas être surpris, car sa femme et lui sont aussi du genre décidé. Réjeanne, sa femme, a toujours été très sûre d'elle. Elle fait carrière dans la décoration, mais elle a toujours rempli ses rôles de mère et d'épouse. En ce moment, elle est à New York pour décorer les bureaux d'une grande entreprise.

Julie et sa mère se téléphonent presque tous les jours. Elles discutent des derniers livres qu'elles ont lus (elles adorent les romans policiers), des films les plus récents et parfois de leurs problèmes respectifs. Elles sont très fières l'une de l'autre, comme en témoignent les nombreuses preuves de leurs réussites qui s'entassent dans la chambre de Julie.

— Aie ! Fais attention, dit Mado, tu m'arraches les cheveux.

— Excuse-moi, je pensais à maman. Elle est toujours émue par les événements spéciaux comme cette première danse.

— Comme ma mère, qui serait malade si elle ne pouvait assister à tous mes petits triomphes.

Mado est modeste, car elle est présidente de sa

classe, elle a écrit une pièce de théâtre et elle a joué dans à peu près toutes les productions de l'école depuis des années.

— À ton premier baiser, aussi?

— Très drôle ! Non, ça, c'est ma vie privée !

— Est-ce que Charles passe te chercher ici?

— Non, il me prend à la maison. Maman ne veut pas manquer ça pour tout l'or du monde. Elle veut prendre une tonne de photos, au cas où je deviendrais célèbre.

Avec un geste de grande tragédienne, Mado se drape dans l'écharpe transparente qu'elle a choisi de porter à la danse.

— Tu devrais peut-être te trouver un agent pour commencer, dit Julie en riant.

Mado a relevé avec un peigne fleuri ses longs cheveux d'un blond platine. Elle applique un peu de rouge au bout de son petit nez criblé de taches de rousseur et sur ses joues. Dans ses chaussures à talons hauts, son jean et son tee-shirt, elle est tout simplement irrésistible !

— As-tu l'intention de lancer une nouvelle mode? dit Julie en riant.

— J'y vais. Mado secoue la tête d'un air dégoûté et, avec un air hautain, elle se dirige vers la porte où elle se heurte au père de Julie qui s'apprête à entrer dans la chambre.

— Attention, mesdemoiselles, un homme se risque dans votre antre ! Il y a une surprise pour toi en bas, Julie, dit-il en lui faisant un clin d'oeil. Les deux filles se précipitent dans l'escalier et aperçoivent dans le hall une jolie boîte blanche avec un ruban rose. À l'intérieur, Julie découvre une magnifique rose avec une carte : « À Julie, pour une occasion importante. Avec toute mon affection, maman. »

— Oh, comme c'est gentil, dit Mado en serrant l'épaule de Julie. À ce soir, très chère, on se reverra à la danse.

Mado appelle toujours Julie « très chère », à la manière des gens de théâtre.

Après le départ de Mado, Julie court au téléphone pour remercier sa mère.

— C'est au cas où ton prince charmant oublierait de t'offrir un bouquet.

— C'est bien possible, maman, tu connais Paul !

— En effet, je le connais, mais je ne l'ai jamais vu autrement qu'en tenue de gymnastique. Comme toi, d'ailleurs !

— Tu sais bien que nous avons plein de points communs.

— Je comprends, crois-moi. Ton père et moi savons ce que c'est l'amour. Bon, je dois te quitter. Amuse-toi bien.

Le crépitement sur la ligne rappelle à Julie que sa mère est bien loin, et c'est avec la gorge serrée qu'elle lui murmure un au revoir.

Julie avale son souper sans vraiment y goûter, tellement elle est excitée à l'idée du bal. Paul n'a pas téléphoné, et elle se demande pourquoi.

— Il a probablement des problèmes avec son noeud de cravate, dit son père en lui jetant un regard amusé.

Bernard Ducharme est grand et élancé ; avec ses yeux noisette et ses cheveux ébouriffés, il a l'air d'un savant distrait. Son aspect un peu négligé date de l'époque où il était correspondant à l'étranger pour un grand journal. Sa toilette ne le préoccupe pas plus maintenant qu'il est rédacteur en chef du journal local. Il a accepté ce poste pour être plus souvent chez lui et pour permettre à sa femme de poursuivre sa carrière de décoratrice.

— Moi, j'ai toujours à me battre pour mettre ces trucs-là. Tiens, voilà une occasion où un homme a bien besoin de sa maman !

— Ou de sa femme, ou de sa fille…

— Il a l'embarras du choix !

Julie sait très bien qu'il la taquine, car elle a horreur des stéréotypes féminins, mais elle refuse de mordre à l'hameçon. Elle monte à sa chambre pour faire sa toilette.

Après avoir revêtu sa robe, elle s'observe dans la glace. Elle est enchantée du résultat. Il ne manque plus que son écharpe dorée et le médaillon que Paul lui a offert à son anniversaire.

— Tu avais raison, dit son père, cette robe te va comme un gant. Il va falloir que j'apprenne à me fier à ton jugement.

— Oui, il est temps que tu comprennes que je ne suis plus une enfant.

— Paul devrait être ici à l'heure qu'il est. Nous devions prendre des photos avant votre départ. Monsieur Ducharme jette un coup d'oeil à sa montre en fronçant les sourcils.

— Je parie qu'il est resté trop longtemps au lac et qu'il n'aura pas le temps de se sécher les cheveux !

Ils s'assoient tous deux devant la télévision et, après avoir regardé deux émissions, Julie a l'estomac noué par l'inquiétude. N'y tenant plus, elle téléphone chez Paul. Pas de réponse, il doit donc être en route. Julie fixe les deux reproductions de Renoir que son père a rapportées d'un voyage. Elle en connaît tous les détails... et Paul qui n'arrive toujours pas. Où peut-il-être? C'est un garçon responsable, et Julie est certaine qu'il téléphonerait s'il était simplement retenu quelque part. Il est déjà plus de neuf heures.

Le téléphone brise le silence comme un coup d'épée. Julie se précipite sur le récepteur, mais c'est Mado.

— Pour l'amour du ciel, qu'est-ce que vous faites?

— Mado, je suis folle d'inquiétude. Paul n'est pas encore passé à la maison et je n'ai pas eu de nouvelles. J'ignore où il est.

— Qu'est-ce que tu vas faire?

— Bonne question !

Tout à coup, Julie est troublée : le téléphone lui renvoie la musique de l'orchestre et elle songe qu'elle pourrait bien se rendre au bal seule. Non, il est sûrement arrivé quelque chose à Paul.

— Je vais attendre, Mado, jusqu'à ce qu'il m'appelle.

— Très bien, dit Mado en soupirant, je te rappellerai plus tard si tu n'es pas arrivée.

Il vaudrait mieux qu'il ait une bonne raison, pense Julie. N'importe quoi, sauf cet affreux silence.

— Ce n'est pas possible, Julie, il ne te ferait pas attendre comme ça. Il lui est sûrement arrivé quelque chose. Veux-tu que je téléphone à la police? lui demande son père.

Julie fait non de la tête. L'image de Paul étendu sur la route, blessé, lui glace le sang dans les veines. Elle téléphone de nouveau chez lui, mais en vain. Elle essaie d'appeler des amis, mais ils sont tous au bal, et leurs parents n'ont pas entendu parler de Paul.

Enveloppée dans un châle, elle se pelotonne sur le sofa, silencieuse. Son coeur bat à tout rompre et elle n'arrive pas à détacher ses yeux du téléphone.

CHAPITRE TROIS

Paul ouvre lentement les yeux ; il n'éprouve aucune sensation, mais il sait qu'il est blessé. Autour de lui, il aperçoit des médecins et des infirmières qui s'affairent comme dans un brouillard. Leurs voix lui parviennent de très loin, il n'arrive pas à comprendre les mots qu'ils prononcent. Il a l'impression de s'enfoncer dans un gouffre sans que rien ne puisse le retenir.

— Tu comprends que tu es blessé, n'est-ce pas Paul?

Paul a l'impression que le volume de la voix augmente et diminue sans arrêt, comme lorsqu'on joue avec les boutons d'une radio. Il voudrait répondre « oui », mais son cou lui semble pris dans un carcan.

— N'essaie pas de remuer, dit la voix, nous t'emmenons en radiologie pour voir l'état de tes vertèbres.

La peur s'empare de Paul, elle le glace.

— Que m'est-il arrivé? réussit-il à murmurer pendant qu'on le transporte dans les corridors de l'hôpital. Il est ébloui par les plafonniers qui défilent devant ses yeux.

— Tu as eu un accident, dit le médecin. Il y a eu

un énorme coup de vent sur le lac, tu es tombé et tu as reçu ta planche sur la nuque.

— Julie... murmure Paul.

— Nous avons averti tes parents et ils seront bientôt ici.

— Mais... Paul revoit Julie telle qu'il l'a laissée quelques heures plus tôt. Il se demande si sa mère a songé à l'avertir. Il a une envie folle de la voir, mais il se demande s'il est souhaitable qu'elle le voie dans cet état. Il s'inquiète, il craint d'être défiguré. Il entend un des techniciens parler de *paralysie* et se dit : « Mon Dieu, pourvu qu'il ne s'agisse pas de moi ! » Il ne sent toujours rien, mais c'est peut-être à cause du choc qu'il a subi.

— Paul, c'est moi, Jacques, sais-tu ce qui t'est arrivé?

— Non... Paul reconnaît son ami Jacques, qui fait toujours de la planche avec lui.

— C'est un coup de vent qui t'a fait tomber. Tu as reçu ta planche derrière la tête.

— Mes bras, mes jambes, je ne les sens plus.

— Ne t'en fais pas, ça va revenir. Demain, tu seras sur pied, dit Jacques avec assurance.

Paul a perdu toute notion de temps et d'espace. Il a peut-être dormi, parce qu'à un moment, il aperçoit au-dessus de lui le petit visage de sa mère, crispé par l'inquiétude. À la façon dont elle serre les lèvres, il voit qu'elle se retient pour ne pas pleurer.

Il essaie de se convaincre qu'il fait un mauvais

rêve, qu'il va se réveiller et sortir soulagé de ce cauchemar.

— Mon pauvre chéri, les médecins disent que tu vas t'en tirer, mais qu'ils doivent d'abord déterminer la gravité de tes blessures, lui dit sa mère, les lèvres tremblantes.

Paul sent un picotement au bout des doigts, ses mains sont engourdies comme s'il les avait gardées sous lui trop longtemps. Cette sensation l'encourage un peu.

— Ça ira mieux demain, dit-il en essayant de repousser la panique qui s'est emparée de lui.

Sa mère lui serre affectueusement le bras, et ce simple geste déclenche ses larmes.

— Est-ce que Julie est au courant?

— Pas encore. Elle prend un papier-mouchoir dans son sac et lui essuie doucement les yeux. Paul se sent comme un bébé, mais son esprit est confus et il est trop blessé pour réagir.

— Je vais lui téléphoner tout à l'heure. Ton père, lui, prend l'avion et il sera ici demain.

Si je suis toujours ici demain, pense Paul, de nouveau envahi par une vague de crainte et d'idées noires.

Pour Julie, le téléphone de madame Martin est un véritable choc. En sanglots, celle-ci lui annonce que Paul a eu un accident grave.

— J'en étais sûre, murmure Julie en tremblant de tous ses membres.

— Il faisait de la planche à voile, et il y a eu une

rafale. Il se fait examiner par un neurochirurgien.

Immédiatement, Julie revoit les images si souvent présentées à la télévision : des corps inertes, mous comme des poupées de chiffon, qu'on étend sur des civières. Ce n'est pas possible, Paul ne peut pas être réduit à cela, se répète-t-elle, même après que madame Martin lui a expliqué qu'il n'arrive plus à remuer ses membres.

— Il a parfois des spasmes, et le docteur dit que c'est bon signe, dit madame Martin en essayant de s'encourager. Il s'inquiète pour toi.

— J'arrive tout de suite.

Trop abasourdie pour pleurer, Julie prend les clés de la voiture et se dirige vers le garage après avoir expliqué à son père ce qui est arrivé.

— Attends, Julie, tu n'es pas en état de conduire.

— Ça va aller, papa. Pourtant, elle ne discute pas quand son père lui arrache les clés.

Pendant tout le trajet, Julie revoit Paul en pleine forme en train de courir, de nager, de donner libre cours à sa vitalité débordante. À l'école, les profs lui avaient souvent reproché son tempérament d'hyperactif, mais depuis quelque temps, il avait appris à se maîtriser, et son énergie était devenue un véritable atout. Julie ne peut imaginer Paul cloué sur un lit.

Secouant la tête, elle essaie de dissiper ses pensées pessimistes. Elle souhaite de tout son coeur que ce cauchemar disparaisse. « Paul va guérir, je le sais. » Elle aperçoit soudain sa robe verte et songe qu'il est étrange de se rendre à l'hôpital en tenue de soirée.

En l'accueillant, madame Martin se fait la même réflexion.

— Oh, le bal, pauvre petite...

— Comment est-il? Julie lui prend les mains. Madame Martin est livide, et sa pâleur accentue le contraste entre son teint et ses cheveux noirs. Ses yeux paraissent immenses dans son petit visage délicat. Elle hausse les épaules d'un air découragé.

— Les médecins ne peuvent pas encore se prononcer. Il semble qu'une des vertèbres cervicales est atteinte et que cela peut causer un certain degré de paralysie. Il a une perte de sensation sur tout le corps, mais je ne crois pas qu'il va rester paralysé. Paul est si fort qu'il peut surmonter n'importe quoi. Tu te souviens quand il s'est cassé une jambe au hockey?

— Ce n'est pas la même chose, dit le père de Julie pour essayer de ramener madame Martin à la réalité.

— Il va s'en tirer, Julie, c'est certain.

— Est-ce que je peux le voir?

— Il faut demander à l'infirmière, il est au service des soins intensifs. Ils vont le transférer à l'Institut de neurologie.

Julie ne reconnaît plus Paul. Il est attaché à une espèce de lit étrange de forme circulaire, où il paraît tout petit et blême. Des tiges de métal lui enserrent le crâne et autour de ces pinces, on lui a rasé les cheveux. Sa tignasse brun roux est complètement hirsute, et Julie a envie de lui donner un coup de brosse. Sa respiration fait une buée à l'intérieur du respirateur de plastique.

Julie touche sa main inerte.

— Paul, c'est moi, Julie. Je suis près de toi et je t'aime. Ne lâche pas, je t'en supplie. On va trouver le problème et tu vas guérir.

Les yeux de Paul, d'ordinaire si rieurs, la fixent d'un air égaré. « Mon Dieu, pense Julie le coeur serré, quelle horreur d'être prisonnier de son propre corps. »

Tout à coup, elle sent comme un frémissement et elle voit la main de Paul qui tente de serrer la sienne. Il y a quand même un espoir ! Elle lui fait un sourire encourageant.

— Ça va aller Paul, j'en suis convaincue.

Elle se penche pour poser un baiser sur son front moite.

— Il est temps de partir, maintenant, dit l'infirmière.

Julie rejoint son père dans le hall et se jette dans ses bras. Le visage contre la veste de son père, elle voudrait pleurer, mais ses sanglots lui restent dans la gorge.

Le docteur Rolland, un neurologue que Julie et les Martin reverront souvent dans les semaines à venir, explique à madame Martin le cas de Paul.

— Il a subi une fracture et une dislocation de la septième vertèbre cervicale. Dans notre jargon, nous appelons cette vertèbre la C7. Les vertèbres cervicales sont situées dans le cou. Une lésion de la colonne à la hauteur de la C7 occasionne une paralysie des membres inférieurs et supérieurs. Les pinces que vous avez vues sur son crâne servent à immobiliser la colonne vertébrale pour permettre à la moelle épinière de guérir. Vous devez vous attendre à ce que Paul soit handicapé jusqu'à un certain point, bien qu'il manifeste certains signes de récupération. Mais la guérison sera très longue.

— Qu'est-ce que nous pouvons faire? demande madame Martin, les mains crispées.

— Vous, pas grand-chose. Maintenant, c'est une équipe médicale qui va faire l'impossible pour lui permettre de retrouver l'usage de ses membres.

— Viens, Julie, dit monsieur Ducharme, rien ne sert de rester ici.

— Je veux rester.

— Tu as besoin de te reposer. Il faut que Paul te retrouve demain avec une mine plus gaie.

Julie a un regard de reproche pour son père. Comment pourrait-elle être gaie dans des circonstances aussi tragiques?

— Je sais que ce n'est pas facile, mais tu dois garder un bon moral. C'est déjà assez triste pour Paul, il ne pourrait pas supporter de te voir découragée.

— Nous te verrons demain, Julie, dit madame Martin.

Julie accepte le conseil de son père et le suit dans les longs corridors de l'hôpital jusqu'à la sortie. Dehors, il fait nuit et elle aperçoit une étoile qui brille dans le ciel. Elle s'accroche de toutes ses forces à ce petit signe d'espoir.

CHAPITRE QUATRE

Le lendemain matin, Julie est réveillée par la sonnerie impitoyable du téléphone. Au bout de quelques secondes, les événements de la veille lui reviennent à l'esprit et elle se sent coupable d'avoir dormi si profondément. Son coeur se serre à l'idée que le téléphone lui apporte peut-être des mauvaises nouvelles de Paul.

— C'est moi, Mado, veux-tu me dire ce que vous avez fait hier soir?

Appuyée sur son coude, Julie parcourt des yeux sa chambre : la robe verte est tombée dans un coin, les souliers ont échoué de chaque côté du lit ; le bal lui semble à des milliers d'années lumière. Tout lui semble si futile maintenant, mais pour Mado, c'est l'événement de la saison!

— ...Charles et moi nous sommes amusés comme des fous! Tu connais le groupe Chaos? Il a été formidable! Éliane et Patrice se sont engueulés, elle lui a lancé ses fleurs par la tête, et il est parti furieux. Yolande avait des souliers incroyables... roses avec de grosses boucles au bout des orteils! Et devine la meilleure : Marthe et Yves ont fini la soirée ensemble!

— Oh! Mado... Julie étouffe des sanglots.

— Mais qu'est-ce qui ne va pas, Julie? T'es-tu querellée avec Paul? Je m'attendais presque à vous voir apparaître tous les deux avec vos palmes dans les pieds !

— Paul a eu un accident avec sa planche à voile, Mado, il est... paralysé. Les mots lui restent dans la gorge.

— Paralysé? Tu n'es pas sérieuse? s'écrie Mado, effrayée.

— Hélas !

— Pour toujours?

— Personne ne le sait, il ne peut remuer ni les bras ni les jambes. On le transfère à un autre hôpital où il devra subir une longue thérapie. J'ai si peur, Mado. Tu sais combien Paul adore tous les sports, comment un athlète comme lui peut-il vivre dans un corps qui ne fonctionne plus?

— Bon, ne saute pas aux conclusions. Ce n'est peut-être pas aussi grave que tu le penses ; bien des gens retrouvent l'usage de leurs membres après ce genre d'accident. Je vais en parler à maman, elle est infirmière. Allons ! Sois plus optimiste, comme tu me le dis souvent. Comment veux-tu aider Paul avec un air catastrophé?

— C'est ce qui est le plus dur, de le voir ainsi sans montrer mon chagrin et mon inquiétude, mais tu as raison... Quand même, c'est tellement épouvantable, ce n'est pas possible de lui dissimuler la gravité.

— Comment est-ce arrivé?

Julie lui raconte ce qu'elle sait de l'accident.

— Il est quand même chanceux de ne pas s'être brisé le cou!

— C'est ce que le médecin a dit.

Julie téléphone ensuite à l'hôpital pour apprendre que Paul a été transféré dans un centre médical spécialisé dans le traitement de la moelle épinière. Le centre est situé à quarante kilomètres de chez elle.

Son père lui offre de l'y conduire après le déjeuner. Julie fixe son oeuf à la coque et ses toasts et ne peut rien avaler.

— Merci papa, mais je peux conduire.

— Alors, je te tiendrai compagnie.

— Très bien, dit-elle en souriant.

— Allons Julie! Mange quelque chose, tu as besoin de garder tes forces.

— Je ne suis pas capable, papa, je pense toujours à Paul.

— Tel que je le connais, je suis certain qu'il ne voudrait pas que tu te prives de manger, c'est son passe-temps favori. Tu sais comment je l'ai baptisé, le « gouffre sans fond » dit-il en riant.

On sonne à la porte et Julie va ouvrir. C'est David Talbot qui lui demande, l'air anxieux :

— Tu as appris pour Paul? J'ai essayé de te rejoindre hier soir, mais je suppose que tu étais déjà partie à l'hôpital. Comment va-t-il?

— On ne sait pas encore, on l'a tranféré dans un autre hôpital.

Elle lui explique ce qu'elle a appris la veille.

— Comment l'as-tu appris?

— J'étais là quand l'accident est arrivé. Il y a eu une énorme rafale qui l'a jeté en bas de sa planche. Comme il nageait pour la rattraper, une vague a soulevé la planche, qui l'a frappé en plein derrière la tête. Il y avait deux autres gars au bord de l'eau, nous avons plongé et nous l'avons ramené, inerte et incapable de parler, en état de choc.

Julie frémit en imaginant Paul ballotté par les vagues, flottant comme une épave, lui qui est un nageur aguerri.

— Il y a des moments où la force ne suffit pas, dit David. Écoute Julie, j'avais l'intention d'aller faire un peu de planche à voile, mais je t'avoue que je n'en ai plus très envie. Je pourrais peut-être te conduire à l'hôpital?

— Oh, oui ! dit Julie, songeant que son père est très occupé, même s'il lui a offert de l'accompagner. Et David est un gentil garçon.

Quand ils arrivent au centre médical, Paul subit des examens, et ils doivent attendre pour le voir. Ils s'assoient dans la salle d'attente et observent d'autres patients, dont plusieurs sont affublés des mêmes pinces que Paul. Ils se promènent dans le hall ou sont assis dans des fauteuils roulants. Julie voudrait leur poser des questions sur leur état, mais elle n'ose le faire, car elle craint de paraître insensible. Il y a tant de questions dont elle voudrait connaître les réponses.

Vous ne pouvez le voir que quelques minutes, lui dit une infirmière avec un sourire si chaleureux que Julie se sent un peu encouragée.

— Bonjour Paul, comment ça va? demande David en entrant dans sa chambre avec Julie.

Paul esquisse un demi-sourire et murmure « ça va ».

Il a toujours les pinces et le respirateur. Julie fait des efforts pour avoir l'air gaie, mais elle ne peut empêcher ses lèvres de trembler. Elle glisse un doigt doucement le long de son bras en essayant de le chatouiller pour voir s'il a des sensations. Ses doigts bougent un peu.

— Il a remué, s'exclame David.

— Oui, le médecin dit que c'est un bon signe.

— Tu vas guérir Paul, tu dois en être convaincu, murmure Julie.

David, jouant les optimistes, insiste :

— Paul, tu vas guérir, je te vois déjà foncer sur le court de tennis, et j'ai bien hâte de te voir sur tes deux jambes.

Paul essaie d'approuver mais Julie fait signe à David.

— Je crois qu'il est temps de partir, il ne faut pas le fatiguer.

Elle sent le regard de Paul, et elle voudrait pleurer.

— Paul, je te verrai un peu plus tard, il faut que tu te reposes, mais nous resterons ici encore quelque temps. Je t'aime!

Elle effleure sa joue de ses lèvres et reconnaît la barbe hésitante de Paul, son « duvet de pêche », comme elle dit toujours pour le taquiner !

Une fois sorti de la chambre de Paul, David se tourne vers elle.

— Quel massacre ! Crois-tu qu'il pourra marcher un jour?

— C'est ce que nous voulons tous savoir, David. Personne ne veut croire au pire. Sa mère dit qu'il a toujours été très robuste. L'image de Paul fait monter des larmes à ses yeux.

— Si on allait boire un jus? dit David. Ils descendent à la cafétéria.

— Je ne peux pas m'habituer à voir Paul dans cet état, ce n'est plus lui, comment t'expliquer? dit Julie.

— Oui, c'est pénible. Je ne peux pas l'imaginer en fauteuil roulant, comme ces patients que nous avons vus tout à l'heure.

— C'est pourtant une possibilité que vous devriez envisager, dit une voix derrière eux.

Ils se retournent, surpris, et voient le docteur Stanislas, qui s'est occupé de Paul à son admission au service d'urgence. Il est debout avec son plateau.

— Puis-je m'asseoir?

— Certainement, dit Julie. Elle lui présente David, qui recommence le récit de l'accident.

— La blessure de Paul est très grave, et il ne faudra pas lui demander l'impossible ; les parents et les amis font souvent cette erreur, même avec les meilleures intentions. Je sais qu'il est très difficile d'accepter qu'un garçon aussi vivant, aussi actif que Paul soit handicapé d'une façon ou d'une autre pour le reste de ses jours.

— Pour le reste de ses jours? répète Julie effrayée, je croyais que son état allait s'améliorer, qu'il retrouverait l'usage de ses membres?

— Bien sûr, il va retrouver une certaine sensibilité, mais ce sera très long. Il devra tout réapprendre depuis le début, à se lever, à manger, à marcher ; en somme, tout ce que nous tenons pour acquis à l'âge adulte. Je crois qu'il a de bonnes chances de retrouver l'usage de ses membres, mais je ne veux pas vous donner de faux espoirs. On voit des quadriplégiques qui retrouvent seulement l'usage de leurs jambes. Mais je ne crois pas que cela soit le cas de Paul.

Sur ce, le docteur attaque son sandwich. Julie remarque ses gros sourcils noirs et ses petits yeux ronds.

— Je vais te donner des brochures qui traitent des blessures à la colonne vertébrale, pour que tu comprennes mieux ce que Paul endure et ce qu'il aura à traverser pendant son séjour ici.

— Je vous remercie, docteur.

Malheureusement, les craintes de Julie sont loin d'être apaisées par les conseils du médecin. Au contraire, l'inquiétude la tenaille comme une plaie ouverte.

Julie se glisse dans l'auto à côté de David ; elle se sent glacée jusqu'aux os. Ils parcourent les quarante kilomètres du retour presque en silence, chacun absorbé par ses pensées. Lorsqu'ils arrivent aux limites de la ville, David demande à Julie :

— Que dirais-tu de passer par la plage? J'ai quelque chose à vérifier.

Julie a une petite grimace de douleur...

— Oh! Excuse-moi. J'aurais dû y penser.

— Non, ça va, il faudra bien que j'y retourne un jour ou l'autre.

David, comme Paul, ne peut passer une journée loin de l'eau. Julie, elle, éprouve un pincement au coeur. Le bruit des vagues qui viennent mourir sur les rochers avec des craquements sinistres évoque des images qui la font trembler.

— C'est ici que l'accident est arrivé. David arrête sa voiture et descend.

— Pourquoi m'amènes-tu ici? dit Julie, les mains devant les yeux.

— Parce que je veux que tu voies où et comment c'est arrivé... parfois notre imagination nous fait voir les choses plus noires qu'elles ne sont en réalité.

Il pointe un endroit de la plage et dit :

— Paul était assis là et montait sa planche. Nous avons causé quelques minutes, puis nous nous sommes lancés à l'eau. Quelques minutes après, je l'ai vu tomber.

— Mon Dieu! Une chance que je n'ai pas vu ça,

murmure Julie, bouleversée. Elle aurait pourtant voulu être là pour le réconforter, le serrer dans ses bras, comme elle aimerait le faire maintenant, si c'était possible. « Pourra-t-il encore me serrer dans ses bras? » se demande-t-elle en frissonnant.

— Crois-tu que Paul va rester handicapé? demande David soudainement.

— Ce que je crois? Je n'ai pas encore eu le temps de me faire une idée, David. Je suis terrifiée. Actuellement, nous sommes en plein inconnu. Personne ne sait rien, personne ne peut prédire comment il s'en sortira. Alors, ce que je crois? Tout ce que je sais, c'est que je l'aime.

— Un si bon diable! Je l'ai toujours admiré. Je ne peux pas croire qu'un nageur de son calibre ait pu avoir un tel accident.

— Ça n'a rien à voir avec l'expérience, dit Julie un peu agacée, on a beau être un expert, les éléments peuvent parfois être les plus forts. Paul se croyait invulnérable, et regarde ce qui est arrivé.

Ils observent en silence un groupe d'adolescents qui s'apprêtent à se lancer sur leur planche à voile. Julie imagine le corps musclé de Paul et songe à quel point ce serait tragique s'il ne pouvait plus jamais pratiquer ce sport.

— Comment est Paul? demande Serge, un de ses amis. Quelle culbute il a faite!

Les autres s'approchent aussi, pour venir aux nouvelles.

— Nous ignorons encore comment il va s'en

tirer.

— Dis-lui de revenir le plus vite possible, nous l'attendons !

— Je le ferai certainement.

Tout en les regardant se diriger vers le bord de l'eau, Julie demande à David :

— Que ferais-tu si tu ne pouvais plus pratiquer ton sport favori?

— Je pense que je deviendrais fou ! Pendant les cours, je ne pense qu'au moment où je pourrai fendre l'eau sur ma planche. Je crois que je voudrais mourir.

— À ce point !

— Oui ! J'ignore si Paul éprouve la même chose. Pour moi, c'est très, très important. Ça le deviendra peut-être pour lui si jamais il ne peut plus en faire.

À cette idée, Julie frissonne.

Paul lutte contre le sommeil lourd qui l'envahit depuis l'accident et qui ne lui laisse que de brefs répits. Par moments, il prend conscience de ses membres inertes qui ne semblent plus lui appartenir.

Il replonge dans le sommeil. Dans ses rêves, il court sur le terrain de football et, d'un bon coup de pied, il envoie le ballon dans les buts. Puis, il se voit dans la piscine, battant l'eau de ses jambes pour dépasser Julie, dont les bras fendent l'eau avec régularité. Puis tout à coup, ses jambes se détachent de son corps et continuent la course sans lui.

C'est le cauchemar qui continue ; il se souvient de la vague qui a soulevé sa planche, du choc terrible qu'il a reçu sur la nuque. Tout est devenu noir, il a dû s'évanouir, car la suite, il l'imagine dans son rêve. Il se voit ballotté comme un fétu de paille et il se réveille sur une civière, incapable de bouger, tel qu'il est aujourd'hui.

Il remercie le ciel que Julie n'ait pas été témoin de l'accident, bien qu'il aurait aimé se réconforter dans ses bras. Mais il n'aurait pu supporter que sa souffrance s'ajoute à la sienne.

Il faut qu'il guérisse, pour Julie, il ne peut pas la forcer à aimer un handicapé.

Mais comme elle le lui a dit tout à l'heure, la sensibilité dans ses mains est un signe encourageant. Il va guérir, il le sait.

Et Paul replonge dans le sommeil, dans ce pays de rêves où il peut encore courir, jouer et serrer Julie dans ses bras.

CHAPITRE CINQ

Julie se dirige péniblement vers la salle d'attente avec l'étrange impression d'avoir vieilli de plusieurs années. Les dernières journées viennent de s'écouler comme dans un mauvais rêve, et elle ne sait même plus quelle est la date aujourd'hui. Le fait d'aller à l'école l'obligeait à tenir compte des jours de la semaine, mais son inquiétude au sujet de Paul a tout bouleversé. Elle a mis tous ses projets de côté et elle n'a pu se décider à retourner à l'école depuis l'accident.

Monsieur Martin marche de long en large, arpentant le parquet ciré de l'hôpital avec rage tout en jetant des coups d'oeil furieux à son ex-femme.

— As-tu songé, Alice, qu'il ne marchera peut-être jamais? bredouille-t-il, les yeux remplis d'eau. Son beau visage, très semblable à celui de Paul, est crispé par l'effort qu'il fait pour ne pas pleurer.

Monsieur Martin est grand, musclé et bronzé, comme son fils. Julie sait qu'il est archéologue et qu'il est spécialiste de la culture amérindienne. Paul a participé à ses fouilles pendant les vacances et il a décoré sa chambre avec des reproductions des pièces qu'ils ont déterrées.

— Il est entre les mains de Dieu, murmure

madame Martin. Tout ce que nous pouvons faire, c'est prier.

Julie perçoit les sous-entendus dans leur attitude et elle ne comprend pas que des gens qui se sont aimés, qui ont été mariés, soient devenus si hostiles l'un envers l'autre. On aurait pu espérer que le drame qu'ils vivent les rapproche l'un de l'autre, mais c'est le contraire qui semble se produire.

Serge Martin est un homme déçu, son visage porte les marques de ses échecs, de sa tristesse. Sa taille imposante fait paraître son ex-femme encore plus menue. Julie éprouve un sentiment de pitié à leur égard.

— Monsieur Martin, nous faisons tout ce qui est possible pour votre fils, dit le médecin, content de pouvoir les rassurer un peu. Il ne pourra peut-être pas faire tout ce qu'il faisait avant son accident, entre autres jouer au football ou au tennis, mais il pourra reprendre la natation et beaucoup d'autres activités, ça j'en suis certain. Par contre, il en a pour deux ou trois ans de réadaptation.

Julie et madame Martin échangent un regard.

— Je ne peux pas imaginer Paul incapable de pratiquer les sports, dit sa mère d'un ton soucieux.

— Paul n'abandonnera rien, s'écrie Julie.

— Allons Julie, il faut être réaliste, lui reproche le médecin. Il est encore chanceux, sa paralysie n'est pas totale, mais on ne doit pas s'attendre à un miracle. Ça ne se fait pas du jour au lendemain. Il a une tâche longue et difficile devant lui.

— Il nous reste seulement à prier, soupire madame Martin d'une voix triste.

— En attendant, chère madame, allez dormir ; conseil de médecin, vous avez bien besoin de repos.

Cette pauvre madame Martin partage son temps entre sa maison et l'hôpital, où le personnel lui a préparé un lit.

— Je vais dire au revoir à Paul, dit Julie en se dirigeant vers sa chambre. « Si seulement on pouvait reculer dans le temps », songe-t-elle tristement.

La chambre est pleine de fleurs et Julie redresse quelques cartes tout en regardant Paul.

Le lit dans lequel se trouve Paul ressemble à une espèce de cage. Il est étendu sur une civière que le personnel peut faire basculer dans tous les sens. On change la position du patient toutes les deux heures pour éviter les plaies de lit.

— Comment te sens-tu? dit Julie en caressant sa joue, qui lui semble chaude.

Dans les brochures que lui a données le médecin, on explique que les lésions à la moelle épinière provoquent un débalancement de la température du corps et qu'on ne peut rien faire pour y remédier.

— Te sentirais-tu bien, clouée dans un semblable machin? répond Paul d'un ton hargneux.

— C'est affreux, je le sais bien.

À la vue de son pauvre visage effrayé et au son de sa respiration haletante, elle doit contenir ses larmes.

— Disons que je me sentirais beaucoup mieux si je participais à un tournoi de tennis, c'est tout ce que je désire!

— Ça viendra Paul. Elle essaie d'être encourageante.

— Ne sois pas stupide, Julie! Je t'en prie, ne fais pas comme tout le monde ici qui me répète depuis le début que tout va s'arranger. Évidemment, personne ne peut me garantir que je pourrai marcher, ni m'expliquer le degré de réadaptation que je peux espérer. C'est une «paralysie partielle», me dit-on, ce qui veut dire que je ne suis pas encore mûr pour les poubelles.

— Paul, je t'en prie, ne parle pas comme ça.

— Comment, Julie? Est-ce que tu comprends ce que ça signifie pour moi, pour nous?

Ils se regardent dans les yeux pendant un long moment. Chacun sait ce qui se passe dans la tête de l'autre.

— Est-ce que tu souffres? demande Julie d'une voix rauque.

— Oui, à l'endroit de ma blessure, mais dans quelque temps, ce sera moins douloureux, m'ont-ils dit.

Julie pose ses mains sur la sienne et remarque qu'il la retire doucement, pour qu'elle ne se rende pas compte qu'il ne peut répondre à sa caresse.

— Je suis certaine que tu vas pouvoir faire beaucoup de choses, Paul. Tu es un gars solide, sois optimiste.

— Oh, oui ! Un vrai Superman ! Je ne crois pas que ton bel « optimisme » soit efficace dans tous les cas. Ce que je veux, c'est sortir de ce lit ridicule ou trouver une façon de me suicider.

Ses déclarations bouleversent Julie, qui n'en laisse rien voir.

— Il faut croire au miracle, Paul !

— Ha-ha ! Ça va en prendre tout un pour me sortir d'ici ! Autrement le seul sport que je pourrai pratiquer, c'est le basket-ball en fauteuil roulant.

— Paul ! Je t'en prie ! Je t'aime.

— Il ne faut pas. Tu fais une erreur, oublie-moi !

À ce moment, une infirmière entre dans la chambre. L'atmosphère est si tendue que l'infirmière s'aperçoit du malaise. Furieux, Paul dévisage Julie, qui fixe le drap blanc de son lit. Elle aurait envie de l'embrasser, de lui passer la main dans les cheveux, mais elle n'ose le regarder.

— C'est le temps des médicaments, dit la garde en souriant, d'un air si calme, si rassurant que Julie relaxe un peu.

— Va-t-en, Julie, ordonne Paul brusquement.

— Je reviendrai plus tard.

Elle lui tourne le dos pour cacher ses larmes.

Quand, enfin, elle entre dans l'entrée de garage chez ses parents, elle a l'impression d'avoir été partie très longtemps, de revenir d'un long voyage. Elle observe les plates-bandes, le gazon bien taillé. Tout est impeccable grâce au jardinier. Comme son père est toujours très occupé, il engage des gens pour les travaux d'entretien. Le jardin manque un peu de personnalité, mais il est très bien aménagé. La maison aussi aurait cet aspect impersonnel, si ce n'était de sa mère et d'elle-même. Elle adore voir les piles de magazines et le capharnaüm de son père. Il a rapporté beaucoup de souvenirs de ses voyages : des statuettes et des masques d'Afrique et du Mexique, un tapis persan du Moyen-Orient et des poupées de différents pays, que Julie adorait collectionner. Elle est heureuse qu'il ait accepté un nouveau travail plus sédentaire, mais elle regrette un peu ses voyages et tous ces bibelots exotiques qu'il en rapportait.

— On dirait un marché aux puces, dit son père en entrant.

— C'est toujours mieux que ta chambre à coucher, qui ressemble à une chambre d'hôtel. Je m'attends toujours à trouver une bible dans le tiroir de ta table de chevet !

— Si tu crois que j'ai le temps de lire ! dit-il en déposant son porte-documents près d'une fougère qui s'étiole. Qu'est-ce qu'elle a, cette plante? Elle a l'air moche.

— Elle a besoin d'attention, peut-être d'un peu d'eau, dit Julie en riant.

— J'ai déjà interviewé un type qui parlait à ses plantes, je peux peut-être essayer !

Julie monte à sa chambre et met son maillot de bain. Elle éprouve un urgent besoin de se confier à Mado, mais celle-ci n'est pas revenue de l'école.

Lorsqu'elle descend dans la cour, le voisinage est bien calme, car les enfants sont tous à l'école. Elle plonge dans la piscine et nage avec délice ; elle s'aperçoit qu'elle est très consciente de son corps, de chacun de ses mouvements. Elle s'exerce à la brasse et fend l'eau doucement, régulièrement, en troublant à peine la surface de l'eau. Elle maîtrise parfaitement le mouvement de ses bras, de ses jambes, et elle songe avec tristesse à Paul, qui est incapable de bouger.

Ils sont tous les deux d'excellents nageurs, champions dans deux catérogies ; lui, c'est la nage libre et elle, la brasse. Julie le revoit fendre l'eau de ses jambes et de ses bras puissants ou encore en train de surprendre son adversaire au tennis par ses manoeuvres rapides comme l'éclair. Elle se souvient qu'elle enviait son style, sans savoir que, de son côté, Paul admirait le sien. Ils en avaient discuté un beau jour, pour découvrir qu'ils se tenaient mutuellement en grande estime. Tout cela est terminé... « Si Paul ne peut plus jamais exercer aucun sport, comment va-t-il réagir? Et moi? Même si je le chéris de tout mon coeur, qu'est-ce qui m'attend? »

« Il ne restera pas paralysé », se dit-elle avec force, essayant de se convaincre. « Il va guérir et retrouver toutes ses capacités. »

Julie nage énergiquement en pensant malgré elle aux pauvres jambes inertes de Paul. Puis elle se tourne sur le dos pour faire la planche, si absorbée par ses pensées qu'elle n'entend pas la porte de la clôture.

— Hé ! Julie ! Mado lance son cartable sur une chaise et s'agenouille au bord de la piscine. Je suis venue te rappeler que c'est l'exercice de natation ce soir, tu viens?

— Je ne peux pas, il faut que j'aille à l'hôpital.

— Allons ! Viens, tu iras après l'entraînement.

Elle lui passe sa serviette de bain et insiste.

— Viens, il faut qu'on parle.

Mado est une petite personne décidée, qui sait être très persuasive quand il le faut. C'est pour cela qu'elle fait une bonne présidente de classe. Elle ne met pas de gants blancs, mais elle sait comment s'y prendre pour que les gens ne se sentent pas bousculés.

— Tu as une mine affreuse, Julie. Qu'est-ce qui est arrivé à l'hôpital?

— Je sors de l'eau, je ne peux pas être en beauté.

— N'essaie pas d'éviter la question, réponds-moi.

— O.K., un instant.

Julie soupire tout en essuyant ses cheveux avec énergie.

— Paul m'a dit de l'oublier, Mado. On ne cesse pas d'aimer quelqu'un parce qu'il est blessé? Elle regarde anxieusement son amie dans l'espoir d'obtenir un conseil.

— Il est traumatisé, Julie, ne l'oublie pas.

— Il m'a dit de partir, et je n'ai pas protesté, parce que je ne peux pas endurer de le voir dans cet état. Je voudrais le voir comme il était avant l'accident, et c'est un rêve impossible.

— Je sais bien qu'à sa place, je me poserais les mêmes questions : est-ce que je marcherai un jour, est-ce que quelqu'un peut encore m'aimer, est-ce que je ferai encore du sport? Tu sais mieux que moi à quel point c'est important pour Paul.

— Plus que tout au monde, et je partage ses goûts.

— Tu ne peux pas faire plus que de lui tenir compagnie.

Mado hésite autant que Julie quant à l'attitude à prendre dans les circonstances.

— Tout le monde à l'école pense à lui, tu sais?

— Il a reçu plein de cartes d'encouragement. Je me demande si les autres ont la moindre idée de ce qui l'attend, s'ils savent à quel point sa guérison est incertaine!

CHAPITRE SIX

— Je ne veux pas manger de cette saleté, c'est trop difficile ! Paul réussit à pousser son plateau, qui tombe sur le sol dans un fracas. Les côtelettes, le brocoli et la compote de pommes s'étalent sur le plancher.

Odette, l'infirmière, l'observe calmement.

— Je veux bien comprendre ton amertume, Paul, mais ce n'est pas une raison pour agir ainsi. Je vais chercher un autre plateau.

— Je n'en veux pas, dit-il d'une voix rauque, qui ne semble plus lui appartenir.

Odette sort rapidement et un employé vient nettoyer les dégats.

— Sortez tous d'ici, allez-vous-en ! hurle Paul, qui ne se contient plus. Il n'a pourtant pas l'habitude de faire des colères, mais il est devenu une autre personne, un être torturé, lui qui était plutôt serein.

« Vais-je redevenir moi-même un jour? se demande-t-il. Tout le monde ici me parle de réadaptation. Mon moral est aussi touché que mes membres. Il y a des spécialistes pour tout ici ; on me réapprend à tenir mes ustensiles ou à bouger mes orteils. Eh bien, après cet incident, ils vont sûrement m'envoyer un *psy*. »

Au début, il le comprend maintenant, il s'était refusé à admettre la gravité de ce qui lui arrivait, mais aujourd'hui, il est obligé de faire face à une terrifiante réalité. Malgré la bonne volonté des médecins et des physiothérapeutes, il reste paralysé, et la rage qui l'habite fait de lui un autre être. Il n'y peut rien, sa vie n'a plus aucun sens. Il ne veut même plus regarder les sports à la télé, ça le rend fou. Et le plus difficile, c'est d'endurer les souffrances aiguës qui ne lui donnent aucun répit. Paul n'a jamais été malade de sa vie ; maintenant, il ne peut plus respirer ni bouger normalement. Il est fatigué de voir autour de lui tous ces médecins et ces infirmières avec leurs médicaments. Il n'en peut plus de vivre.

Paul connaît maintenant le sens du mot *handicapé*. C'est ce qu'il est devenu, un pauvre infirme, incapable de faire un geste.

Une autre question l'obsède : pourra-t-il avoir des enfants? Il a souvent parlé de mariage et d'enfants avec Julie. Maintenant, cette question est devenue un véritable tourment.

Quant à Julie, il songe qu'elle finira par s'éloigner de lui graduellement. Il voit venir le coup et il veut s'y préparer pour ne pas trop souffrir. « Elle dit qu'elle m'aime, mais elle aime ce que j'étais et non ce que je suis devenu. Personne ne peut plus m'aimer maintenant. »

À ce moment, l'infirmière entre avec un autre

plateau et, gardant ses distances, elle lui demande :

— Tu ne veux pas manger un morceau?

— Non, merci, je ne peux pas. En pensant à la scène de tout à l'heure, Paul meurt de honte.

Un peu plus tard, Odette revient le chercher pour le conduire en physiothérapie. Pendant qu'il exerce ses muscles, la thérapeute lui assure que ses progrès sont très encourageants.

— Tu réponds bien aux traitements. Tu dois remarquer que tu peux saisir les objets avec plus de facilité? Et tes jambes aussi s'améliorent.

— Dans combien de temps pourrai-je marcher?

— Ça, c'est encore loin Paul, mais ça va très bien.

Il les soupçonne de lui mentir. Ils évitent tous de se compromettre, et il ne les croit plus. Dans un coin, Paul aperçoit une femme qu'il voit pour la première fois. La badge sur sa blouse porte l'inscription : Elena Rodriguez, psychologue. Peut-être qu'il a besoin d'un « psy » et qu'elle est là pour lui. Effectivement, il sent qu'il perd parfois les pédales.

— Ton amie Julie est vraiment adorable, dit la thérapeute.

— Oui, elle est adorable, mais je ne veux plus la voir avant d'aller mieux, répond Paul avec un sourire amer.

Elle lui jette un regard triste ; c'est une remarque qu'elle entend souvent.

— Ce n'est pas très gentil de ta part ; c'est évident qu'elle t'aime beaucoup.

Elle continue son traitement sans dire un mot, en se demandant comment ces jeunes gens vont s'en tirer. Elle sait à quel point la route est pénible pour les couples qui doivent affronter ce genre de problème.

— Bonjour, Julie ! Comment ça va? On a appris l'accident de Paul, comment va-t-il? Diane, une petite blonde vive aux cheveux bouclés, vient d'apercevoir Julie. Elle lui parle en faisant claquer sa gomme à mâcher dans sa bouche.

Julie a l'impression d'être le point de mire de tous les élèves dans le hall d'entrée du cégep. Certains compagnons de classe la toisent au passage, comme si elle était devenue quelqu'un d'autre. Diane est accompagnée de Jacques, son ami, de Josée et de Georges, tous des amis de Paul.

— Mon Dieu ! Que c'est affreux, dit Josée tout en enfilant ses grosses chaussettes, qu'elle s'entête à porter avec son jean.

— Il commence à faire des progrès, tu sais, Josée, dit Julie.

— Il est paralysé, est-ce que ça va revenir?

— Il est paralysé du milieu de la poitrine jusqu'au bas du corps. Il peut bouger les bras et les mains, et il semble qu'il va retrouver sa motricité dans les membres supérieurs. Il pourra peut-être marcher, mais ça sera très long.

Julie se demande comment ses amis imaginent

Paul, lui qui a toujours été si actif.

— Pauvre garçon, que va-t-il devenir? dit Jacques en hochant tristement la tête.

— C'est ce qu'il se demande lui-même, mais c'est un batailleur, il va s'en sortir.

— Oui, je l'espère.

— J'aimerais lui rendre visite, dit Georges.

— Pourquoi ne lui téléphones-tu pas? Il te dira si oui ou non il veut te voir.

Mado arrive sur les entrefaites.

— Bonjour, Julie! Écoute, je sais que tu as d'autres préoccupations, mais l'entraîneur de natation se tracasse à ton sujet. Monsieur Simard, lui, a fait une crise parce que tu as manqué les trois derniers exercices de tennis.

— Je ne sais plus, je veux faire partie de l'équipe, Mado, mais je me demande si c'est possible de continuer à m'entraîner avec tout ce que j'ai à faire. Et Paul qui est à quarante kilomètres d'ici.

— Laisse donc les médecins s'occuper de Paul, tu ne peux rien faire pour lui, tu le sais bien.

Julie s'inquiète au sujet de ses activités sportives. Elle ne veut pas renoncer aux progrès qu'elle a faits cette année, mais il lui paraît impossible de respecter toutes ses obligations. Peut-être les choses s'arrangeront-elles toutes seules. On ramènera peut-être Paul à l'hôpital de la région, ce qui serait beaucoup plus simple. Soudain, elle songe que ses préoccupations sont bien futiles comparées à celles de Paul.

Julie se dirige vers la salle de cours en serrant ses livres contre elle. C'est la première fois qu'elle affronte le collège depuis l'accident et, bien qu'elle comprenne la curiosité de ses camarades, elle trouve pénible de recommencer sans cesse la description des problèmes de Paul. Ils ne peuvent pas vraiment comprendre sa détresse. Elle connaît très bien les conséquences des blessures à la colonne vertébrale depuis qu'elle a lu les brochures médicales.

Pendant le cours de biologie, Serge et Anne échangent des billets doux. Le prof poursuit d'un ton monotone certaines explications sur les cellules de l'organisme. Julie songe avec tristesse qu'elle faisait les mêmes sottises avec Paul et que le prof les avait séparés de quatre rangées quelques jours avant l'accident. Elle se retourne et éprouve un serrement au coeur en voyant sa place vide. Décidément, même à l'école, elle ne parvient pas à oublier le drame. Un peu plus tard, au moment de la partie de hockey sur gazon, elle croit entendre Paul lui donner les conseils d'usage. Elle ferme les yeux et l'aperçoit en train de bondir sur le court de tennis, adjacent au terrain de hockey. Son image est un peu masquée par la clôture, mais elle peut distinguer sa silhouette musclée et élancée ; elle entend son rire sonore.

— Allons, Julie, qu'est-ce que tu attends?

La voix de Diane, qui garde les buts, interrompt

brusquement sa rêverie. Julie finit d'attacher ses protecteurs et répond :

— Ça y est, j'arrive.

Elle constate qu'elle retarde la partie, que les autres l'attendent patiemment. Elle n'a pas du tout le coeur à jouer et rejoint lentement ses camarades, qui l'observent avec curiosité.

Après le cours, Mado la rejoint au vestiaire :

— Ouf ! Pas brillant au tennis aujourd'hui ! J'ai besoin de toi pour un double, je n'ai pas de partenaire.

— Pas aujourd'hui Mado, je ne suis pas au meilleur de ma forme, ces temps-ci. L'équipe n'est pas très fière de moi, je t'assure.

— Se sont-ils plaints? demande Mado en fronçant les sourcils.

— Non, et c'est ce qui est le pire. Ordinairement, on m'engueule et ça me stimule, mais là, rien !

— N'y pense pas, les choses finiront bien par s'arranger.

Le ton chaleureux de Mado fait du bien à Julie et calme ses appréhensions.

— Allons prendre un café et causer un peu.

— Je ne peux pas, Mado, je dois téléphoner à Paul.

Elle prend son sac et se lève, mais son amie lui attrape le bras.

— Écoute Julie, je sais que ce n'est pas facile, mais arrête de te sentir coupable d'être en bonne santé. Tu n'aideras pas Paul avec ta figure d'enterrement. Viens, je t'offre un café !

Julie range ses livres, au bord des larmes, mais elle suit Mado.

La pause-café finit par durer tout l'après-midi. Michel Morin, le rédacteur en chef du journal de l'école, se joint aux deux camarades. Il offre un verre à Julie et lui explique qu'il veut faire un papier sur Paul.

— Demande à Paul s'il est d'accord, Michel, je ne pense pas qu'il accepte, il est encore traumatisé. Peut-être que dans quelques jours, il sera plus intéressé.

— Je vais lui téléphoner et essayer de lui remonter le moral.

Michel observe Julie avec un intérêt qui la déconcerte un peu.

— Et toi Julie, ça va?

Elle sourit.

— Ça va, j'essaie de tenir le coup, d'aider Paul à encaisser le choc.

— Eh bien, avec une fille comme toi pour l'aider, je suis certain qu'il va guérir.

Julie se rend compte qu'il est très sympathique et elle est très touchée ; un rien l'émeut ces jours-ci, elle a les nerfs à fleur de peau.

Quand Mado et Julie arrivent à la maison, elles apprennent que madame Martin a téléphoné.

— Paul a attrapé un virus et sa pression artérielle est instable, dit le père de Julie. Il fait des colères et selon les médecins, c'est bon signe, mais évidemment son infection n'arrange rien.

— J'y vais immédiatement, papa! Julie jette son cartable sur la table du vestibule.

— Je t'accompagne, Julie, dit Mado.

— Non! Je veux y aller seule, allez-vous tous me laisser tranquille?

— Pas avant que tu te calmes un peu, lui dit son père d'un ton sévère. Si tu ne te ressaisis pas, tu vas entrer dans la chambre de Paul comme une folle, et tu vas simplement réussir à l'énerver davantage. Il a déjà assez de sa famille sur le dos, tu connais ses parents, alors calme-toi. Mado et moi pouvons te conduire à l'hôpital, si tu veux.

Julie tremble comme une feuille. Son père et Mado l'enlacent, l'étouffant presque de leurs bras.

— Laissez-moi, vous me faites pleurer! dit Julie en essuyant ses larmes.

CHAPITRE SEPT

Les pas de Julie résonnent sur le parquet fraîchement ciré du corridor sombre. Une odeur désagréable de désinfectant, de cire et de cuisine lui assaille les narines. Elle se demande si les patients arrivent à s'y habituer.

Le médecin et madame Martin accueillent Julie à la porte de la chambre de Paul.

— Il n'est pas rare qu'un patient au lit depuis deux semaines, même sans blessure à la moelle épinière, subisse des hausses de pression artérielle, explique le médecin. Malheureusement, Paul a contracté un virus, et nous devons le garder en observation.

— Cela n'empirera pas son état?

« Son *état*, c'est sa paralysie », pense Julie en entendant la question de madame Martin.

— Non, il n'y a pas de danger, à moins que sa pression continue à monter.

Madame Martin colle un mouchoir sur sa bouche et ses yeux s'emplissent de larmes.

— Nous lui avons administré un sédatif. Je ne crois pas qu'il y ait lieu de s'inquiéter.

Julie a hâte de voir Paul et quand enfin elle entre dans sa chambre, elle comprend qu'il est très difficile d'avoir une conversation spontanée avec quelqu'un qui a à peine bougé depuis la dernière visite. Sa vie à elle est remplie d'activités de toutes sortes tandis que lui, il est pratiquement immobilisé.

— Te sens-tu un peu mieux? Elle fait semblant de lisser ses couvertures.

— Regarde mes jambes, elles se mettent parfois à trembler et je n'y peux rien. Le pire, c'est que je ne les sens même pas.

— Ça viendra, tout le monde dit que tu te réadapteras avec la physiothérapie.

Paul la regarde en face, rouge sous son tein hâlé.

— Ça te plairait de pousser un fauteuil roulant? Avec de la chance, je pourrai peut-être réussir à m'asseoir.

— Ça ne fait rien Paul, je t'aime toujours.

— Non, je veux que tu m'écoutes ; tu ne peux pas prétendre que ça ne change rien, parce qu'au contraire, ça change tout. Tu refuses de penser à l'avenir, tu rêves au jour où nous marcherons et courrons ensemble. C'est ridicule et très peu réaliste !

— Paul...

— Non ! Laisse-moi parler. Si je suis en colère, c'est parce que cet accident compromet tous mes projets, tout ce que j'avais envisagé pour nous deux. Le bateau a coulé, il faut que tu le comprennes. Je ne peux plus répondre à tes espérances, ni aux miennes. Mes problèmes peuvent te paraître simples, mais crois-moi, ils sont énormes.

— Je sais bien que c'est très dur pour toi. Julie tente de mettre ses bras autour de son cou, mais il la repousse.

— Ne me touche pas Julie, tu ne veux plus de moi.

— Je t'en supplie, Paul, donne-moi une chance de te prouver le contraire.

— Non ! Je ne veux pas de ta pitié, je veux que tu sortes de ma vie, comprends-tu? C'est la seule solution.

— Non ! Je suis convaincue qu'on peut s'aider mutuellement.

— As-tu vu comment je mange? C'est très drôle !

— Tu vas arriver à manger seul avant longtemps.

— J'aurai toujours besoin qu'on m'aide Julie, c'est ce qui m'humilie. Je veux être capable de me débrouiller seul.

— Et tu y parviendras, sois patient.

— Patient, tu parles ! Je parie que tes journées sont bien remplies, moi, je meurs d'ennui ici.

Il la fixe d'un regard dur qui donne froid au coeur.

— Par exemple, qu'as-tu fait aujourd'hui?

— J'ai joué au tennis, j'ai eu un examen en sciences et je suis allée au restaurant avec Mado.

— Tu vois? Pour toi, ce n'est que routine ; moi, j'en rêve tous les jours, mais ça se passe seulement dans ma tête.

Pour éviter le malaise, Julie change de sujet.

— Michel Morin aimerait beaucoup te parler, il m'a demandé s'il pouvait te téléphoner.

— Je ne veux parler à personne, je veux qu'on me laisse tranquille. Je veux que tu t'en ailles et que tu ne reviennes plus. Trouve quelqu'un qui peut marcher, je ne vaux plus grand-chose.

Son visage est tordu par l'amertume.

— C'est vraiment ce que tu veux?

— Oui.

Julie se souvient de la consigne : elle ne doit pas l'énerver. Elle s'enfuit en murmurant un bonjour, soulagée de pouvoir quitter la chambre.

CHAPITRE HUIT

Le lendemain, Julie et son père se rendent au cégep pour une entrevue avec l'entraîneur de l'équipe de tennis.

— J'ai reçu les appels de deux entraîneurs ce matin et crois-moi, ce n'était pas pour le journal, dit monsieur Ducharme en fronçant les sourcils. (Il connaît plusieurs entraîneurs qui collaborent à la rédaction des pages sportives de son journal.) Je ne cherche pas à t'influencer Julie, mais il faut que tu prennes une décision. Veux-tu continuer tes activités sportives ou abandonner tout ce que tu as acquis jusqu'ici? Ce serait dommage, car tu es douée.

— Il est arrivé tant de choses, papa, que je ne sais plus quoi faire. Peut-être que je devrais laisser tomber?

— Laisser tomber, toi! Ça ne te ressemble pas!

— Qu'est-ce que je peux faire?

— Ton possible! Organise-toi pour que tes visites à l'hôpital ne nuisent pas à tes séances d'entraînement. Tu dois commencer à penser à toi-même et à ton avenir.

Ils se rendent au bureau de Robert Simard. Derrière le dos de l'entraîneur, le mur est couvert de trophées, de rubans et de photos de ses champions. Robert Simard est un type costaud, toujours vêtu d'un short noir et d'un tee-shirt blanc. La seule fois que Julie l'a vu vêtu d'un complet, elle a failli ne pas le reconnaître tellement il avait l'air gauche. Il la regarde.

— J'ai l'impression que je n'ai pas perdu seulement un de mes joueurs de tennis, mais bien deux.

Elle tente de lui expliquer que depuis qu'on a emmené Paul dans un autre hôpital, elle est forcée de négliger bien des choses.

— Oui, oui, je comprends tout ça Julie, mais crois-tu que Paul serait heureux de te voir tout abandonner à cause de son accident? C'est beaucoup te demander, mais je veux que tu restes dans l'équipe. On a besoin de toi, de ton endurance et de ton formidable revers.

— Je ne pourrai jamais remplacer Paul.

— Et puis après? On ne cherche pas à remplacer Paul, on a besoin de bons joueurs, et tu es excellente. À certains égards, tu es même meilleure que Paul.

— Ah oui? Explique-toi?

— Tu es plus agile, plus rapide que Paul, tu peux être partout à la fois. À cause de sa taille, Paul ne se déplace pas aussi facilement ! Je compte beaucoup sur toi.

— Je peux bien essayer, c'est tout ce que je peux faire.

— Bon ! Enfin, je te reconnais.

Il amène le père de Julie à l'écart.

— Bernard, prends bien soin de ta fille, elle a un potentiel extraordinaire, tu dois la convaincre de ne pas renoncer.

— Je fais mon possible, je t'assure, mais elle est têtue et elle adore Paul. On ne sait pas du tout comment il va s'en tirer.

— Oui, c'est bien triste pour vous tous.

Ce soir-là, Julie raconte à sa mère, au téléphone, ce qui s'est passé avec Paul à l'hôpital.

— J'ai l'impression qu'il a besoin de toi plus que jamais et qu'il ne pense pas ce qu'il dit.

— Maman, il est très déprimé, il m'inquiète beaucoup. D'une certaine façon, il a raison, je n'ai pas encore envisagé ce que serait notre vie ensemble. Nous avions projeté d'aller à la même université, d'étudier la même discipline... Que dois-je faire, maman? Me tenir loin de lui ou insister pour le voir? Il ne semble pas que je sois la bienvenue.

— Je ne sais pas, c'est difficile à dire. Tu devrais consulter un spécialiste, Julie. Il y a sûrement un psychologue à l'hôpital qui peut te conseiller une attitude appropriée. La mère de Paul en consulte peut-être un.

— Je t'assure qu'elle est pénible à voir.

— Pauvre femme! Je serais effondrée moi aussi si une chose pareille t'arrivait. Dis donc, je pourrai vous rendre une petite visite. Une visite de ta vieille mère, ça t'aiderait peut-être?

— Es-tu sérieuse?

— Absolument ! J'ai droit à quelques jours de congé pour voir ma famille. Ça nous fera du bien à toutes les deux, n'est-ce pas? Et nous pourrions causer.

— C'est super ! Je me sens déjà mieux !

— Bon ! Entendu, je m'organise. À bientôt !

La psychologue, docteur Rodriguez, est une charmante jeune femme dans la trentaine qui a su mettre Julie à l'aise dès la première rencontre.

— Notre civilisation occidentale est de plus en plus obsédée par le physique : que ce soit la beauté, la santé ou les exploits. Quand une personne subit une atteinte partielle ou totale à son « intégrité physique », elle ne peut plus se percevoir comme un membre de la société.

— C'est bien le cas de Paul. Il voulait faire carrière dans les sports, en éducation physique.

— Alors c'est encore plus pénible pour lui. Pour quelqu'un qui s'est toujours exprimé physiquement, c'est beaucoup plus dur. Il passe actuellement par un traumatisme psychique inévitable, qu'on appelle le « cycle du désespoir ». Pendant cette période d'ajustement, il va traverser plusieurs phases : refus, dépression et colère. Les intimes vont devoir subir le contrecoup. Il est très important que tout le monde soit bien renseigné et sache à quoi s'attendre.

— Comment peut-on aider Paul s'il refuse de nous voir? Enfin, de me voir, moi? Ça me fait mal au coeur ; je voudrais tant être près de lui pour l'encourager, et il ne veut plus me voir.

— Je comprends, mais songe que pour lui, tu représentes tout ce qu'il était et qu'il a perdu. Il se refuse à croire que tu l'aimes toujours. Tout ce dont il est conscient, c'est de son invalidité et des efforts qu'il aura à fournir pour en venir à bout. Il traverse des périodes de doute où il se dit : « À quoi bon? » Il a besoin de savoir qu'il pourra avoir une vie active et de voir d'autres gens qui surmontent la même épreuve. Tu verras, quand il sera en réadaptation. En attendant, il se sent un fardeau pour sa famille et pour toi et il enrage. Malgré tout, c'est de bon augure, car il est préférable de faire des colères que de tout refouler.

— J'espère que ça va s'améliorer, dit Julie. Je ne suis plus sûre de mes sentiments envers lui. Nous étions si près l'un de l'autre, et maintenant, je ne peux plus l'approcher. Il est devenu un étranger. Alors, qu'est-ce que je fais? J'insiste pour le voir de force... ou quoi?

— Montre-lui que tu tiens toujours à lui et que même si votre liaison ne résiste pas à cette épreuve, tu lui garderas une profonde amitié. T'en sens-tu capable?

La psychologue scrute Julie comme si elle voulait évaluer la force de son lien avec Paul.

— Paul et moi, nous nous aimons... du moins, je sais que moi, je l'aime toujours. Quant à lui, je ne sais pas.

— Il s'engage dans un combat très exigeant, qui ne lui laissera pas d'énergie pour garder ton amour. Il faut beaucoup de courage pour réussir ce qu'il fait en ce moment, même si ses progrès ne te semblent pas évidents. La meilleure attitude, c'est de lui laisser savoir que tu l'aimes toujours, sans t'imposer.

Julie se sent coupable d'avoir douté de Paul. À sa place, n'éprouverait-elle pas les mêmes doutes, les mêmes angoisses? En sortant du bureau du docteur Rodriguez, elle se pose des questions. Est-ce que Paul et elle peuvent traverser cette épreuve et rester aussi unis, croit-elle encore que son amour peut tenir le coup? Elle ne le sait plus. Le garçon qu'elle aime de tout son coeur est devenu un autre être ; il la regarde froidement et rage contre le monde entier.

Les mots de la psychologue ont remué une foule de doutes qu'elle tentait d'ignorer. Elle remet en question ses sentiments à l'égard de Paul. Tout à coup, cet amour semble ne tenir qu'à un fil.

CHAPITRE NEUF

Réjeanne Ducharme est une jolie femme aux cheveux très noirs, comme ceux de sa fille. Julie, qui attend sa mère à l'aéroport, est folle de joie en la voyant franchir les portes. Elle tombe dans ses bras et se blottit contre elle, savourant son odeur, sa chaleur, qui lui ont manqué plus qu'elle ne l'aurait cru.

Réjeanne examine ensuite sa fille avec attention.

— Ma parole ! Tu as grandi !

— C'est à cause de mes talons, dit Julie en riant. Mais elle remarque qu'elles ont presque la même taille.

Réjeanne porte un tailleur de tweed brun qui moule parfaitement sa silhouette élancée. Ses vêtements semblent toujours coupés sur mesure ; Julie est très fière de sa mère.

— Pauvre chérie, tu sembles fatiguée. Tu traverses des moments difficiles, n'est-ce pas?

Devant la sympathie de sa mère, Julie fond en larmes.

— Oh ! C'est affreux maman ! Tu ne t'imagines pas à quel point c'est pénible. Elle pose sa tête sur l'épaule de sa mère et elle sanglote comme une enfant, sans retenue.

— Bon ! Viens, allons chercher mes valises et sortons d'ici. Nous avons tant de choses à nous dire.

Une fois à la maison, Réjeanne défait ses bagages et Julie admire les vêtements qu'elle étend sur son lit.

— Une de mes manies qui agacent ton père, c'est ma façon de répandre mes choses dans toute la chambre.

— Il ferait beaucoup mieux de s'y habituer, je fais pareil, dit Julie en riant.

— J'ai toujours une valise prête en cas d'urgence, c'est un peu fou, mais je ne suis jamais tranquille quand je suis loin de toi et de ton père.

— J'aimerais tant partir avec toi. J'ai envie de me cacher dans tes bagages !

— Si tu as besoin d'un changement, tu peux venir passer quelques jours avec moi à New York.

— C'est tentant, mais j'ai ma natation et mon tennis. Je ne peux pas partir maintenant, dit-elle en songeant à tous ses autres problèmes.

Bernard Ducharme emmène sa femme et sa fille dans un bon restaurant de la ville. L'atmosphère de gaieté qui y règne remonte le moral de Julie, elle se sent redevenir elle-même. Son père raconte des histoires amusantes, sa mère rit beaucoup, les garçons de table taquinent Julie, qui se permet enfin un moment de détente. Elle s'aperçoit qu'elle a tout manqué depuis deux mois ; son monde a été réduit à des murs d'hôpital, qui l'obsédaient même en classe.

— Tu ne manges pas beaucoup, Julie. Sa mère la regarde avec inquiétude.

— Papa s'en plaint lui aussi. Pourtant, il devrait être content, je ne lui coûte pas cher!

— Ce n'est pas drôle. Si tu es déprimée au point d'en perdre l'appétit, il faut y remédier. Madame Ducharme examine les traits tirés et pâles de sa fille.

— Tu te sens coupable parce que tu t'amuses, c'est ça?

— Je ne peux m'empêcher de penser à Paul, cloué sur son lit pour longtemps, si ce n'est pas pour toujours.

— Allons! Il finira par s'adapter.

Julie lui raconte ce que la psychologue lui a dit.

— Je sais ce qu'il te faut, affirme Réjeanne avec un petit air mystérieux. Je connais un endroit où ton père et moi...

— Je n'ai pas envie de voir du monde, maman.

Réjeanne force sa fille à se lever, comme le ferait Mado.

— Tu n'en as peut-être pas envie en ce moment, mais c'est le remède idéal.

Julie sait qu'il est inutile de discuter avec sa mère lorsqu'elle a une idée en tête. Avec son père, elle se lève pour suivre Réjeanne, qui s'attire des regards admiratifs en traversant la salle à manger. On dirait plus la grande soeur de Julie que sa mère.

Elle les emmène à sa discothèque favorite, où la majorité de la clientèle n'a pas vingt-cinq ans. Bernard se sent un peu déplacé, mais avant longtemps, l'ambiance de la disco a raison de sa timidité.

La piste de danse est balayée par un stroboscope et un rayon rouge traverse la salle pour aboutir sur le chanteur du groupe, un garçon d'environ dix-huit ans aux cheveux blonds, très punk, vêtu d'un pantalon vert et d'une chemise pourpre. Le guitariste a des cheveux auburn comme ceux de Paul et, quand il sourit, Julie pense à son ami.

— Veux-tu danser?

Julie reçoit un coup de coude de sa mère qui veut la sortir de sa rêverie. Michel Morin est là, debout, qui attend une réponse.

— Qu'est-ce que tu fais ici?

— C'est ma discothèque favorite, mais tu ne m'as pas répondu, dit-il en souriant.

— Oui, avec plaisir. Elle le suit tout en songeant à Paul, prisonnier de son lit.

— On ne te voit plus depuis quelque temps, qu'est-ce que tu deviens?

— Je partage mon temps entre l'hôpital, le sport et les études.

— J'ai téléphoné à Paul, mais il ne veut pas me parler.

— Je sais, il traverse une période très difficile, et je voudrais bien pouvoir l'aider. Elle sent la main de Michel dans le creux de son dos et le souffle tiède dans ses cheveux qui lui procurent une sensation agréable.

— Je suis certain que tu l'aides beaucoup. Le seul fait d'être là, avec ton sourire, doit lui donner du courage.

— Au contraire, je crois que ça le rend furieux ! C'est comme agiter un chiffon rouge devant un taureau.

— Il songe peut-être à tous les gars qui veulent prendre sa place auprès de toi, y as-tu pensé?

Julie sent son regard sur elle, et elle se demande si Michel fait partie du nombre.

— Non, et je n'ai pas remarqué que tant de garçons s'intéressent à moi.

— Oh ! ne sois pas modeste Julie, tu es une fille épatante, et il y en a beaucoup qui aimeraient sortir avec toi ; regarde un peu autour de toi, dit-il avec un sourire taquin.

Elle sent un petit courant chaud dans la main de Michel. Elle retire rapidement ses doigts, comme si elle avait peur de se brûler. Jusqu'ici, elle n'a ressenti cette sensation qu'avec Paul, et elle éprouve un petit remords.

— Tu as le droit de t'amuser, tu sais Julie. Tu ne peux pas te retirer du monde jusqu'à ce que Paul guérisse.

— Qui dit que je me retire du monde? Tu ne sembles pas comprendre à quel point c'est dur pour lui.

— Il en viendra à bout, c'est un vainqueur-né.

Julie lui sourit, elle ne peut quand même pas lui

en vouloir de sa franchise, et c'est un si gentil garçon.

— Merci pour la danse, dit-elle en s'éloignant.

— Pourquoi pas une autre?

En dépit de ses remords et des regards amusés de sa mère, elle accepte. Ils dansent très longtemps, si bien que Julie, enfin détendue, s'abandonne au plaisir de la musique. Elle en oublie même tous ses tracas.

Ses parents dansent aussi. Julie est toujours étonnée de l'aisance avec laquelle sa mère s'adapte à toutes les situations.

— As-tu continué ton entraînement à la natation et au tennis? Le souffle de Michel effleure son oreille et lui donne un petit frisson.

— J'essaie de tenir le coup, mais je sens que je perds du terrain. Ne m'y fais pas penser, ça me rend nerveuse.

— Tu as toujours un revers formidable.

— As-tu assisté aux séances d'entraînement?

— Oui, quelquefois, en allant chercher ma petite soeur le mardi.

La soirée est déjà terminée et Julie quitte Michel avec regret.

— Puis-je te téléphoner?

— Oui, répond-elle, encore assaillie par la culpabilité.

— Bon! Ça t'a fait du bien, dit Réjeanne alors qu'ils se dirigent vers l'auto. Tu as besoin de garder un bon moral et les petites attentions n'ont jamais fait de tort à personne.

— J'espère que tu as raison.

Julie n'est pas convaincue ; elle s'en veut d'avoir été troublée par Michel.

— La natation, c'est la meilleure thérapie dans ton cas.

Monsieur Gaulin rend visite à Paul deux fois par semaine et lui apporte toujours un numéro de la revue *Les Sports*. Chaque fois, il essaie de le convaincre de se rendre à la piscine et de participer aux exercices de l'équipe.

— Je ne suis pas pressé de revenir avec l'équipe, et j'imagine qu'ils n'ont pas hâte de me voir non plus, à moins que je serve de mascotte.

Paul est amer, méchant ; tout ce qu'on veut faire pour lui l'irrite. Il voudrait qu'on le laisse en paix, qu'on arrête de le harceler de bonnes idées et de suggestions.

— Paul, sais-tu que tu ne t'aides pas beaucoup? Je veux simplement que tu saches que l'équipe peut te recevoir quand tu en auras fini avec la réadaptation, ou même maintenant.

— C'est ça, on réapprend au pauvre invalide à bouger, puis on le jette à l'eau, et il coule à pic.

— Paul !

Paul ricane.

— Et pourquoi pas? Je n'ai rien à perdre, j'ai déjà tout perdu.

— Tu as beaucoup à perdre, tu as ta famille, tu

as Julie.

— Je ne veux plus voir Julie ici, dit-il brusquement, regrettant aussitôt d'avoir fait cet aveu à monsieur Gaulin. Depuis quelque temps, les mots lui échappent et il avoue des choses qu'il vaudrait mieux taire.

— Tu as tort, tu ne devrais pas la repousser. Elle aussi, elle a besoin de toi ; j'ai remarqué que, depuis quelque temps, sa pensée est ailleurs, elle n'arrive plus à se concentrer et elle a manqué plusieurs exercices.

Paul se montre soudain soucieux :

— Elle ne devrait pas négliger l'entraînement.

— Non, surtout que nous aurons bientôt des compétitions, tu nous manques beaucoup mon garçon, tu le sais?

Voilà que Paul souhaite voir l'entraîneur disparaître... C'est trop pénible pour lui de se rappeler ses succès passés, autant de triomphes qui lui sont désormais interdits. Est-il condamné à promener ses déceptions d'athlète dans un fauteuil roulant?

— Tu peux encore devenir un excellent professeur et un bon entraîneur, Paul. Crois-tu qu'à cause de ton accident, les gens ont oublié tes prouesses?

Il y a tant de choses qu'il ne peut expliquer à monsieur Gaulin. Il ne pourrait pas comprendre ce sentiment d'impuissance et d'inutilité qui l'habite. On a beau lui assurer qu'il apprendra à surmonter les difficultés et à fonctionner normalement en dépit de son handicap, il n'est pas dupe. Lui qui a toujours été un garçon très fort, il ne peut accepter de se voir si faible, si diminué. Cependant, dans son subconscient, Paul sent qu'il doit reprendre pied et surmonter l'adversité.

— Fais attention, Julie, c'est la balle que tu dois frapper, pas le filet ! hurle Robert Simard en arpentant le tracé du court et en épiant chaque mouvement de Julie, qui perd confiance pour devenir de plus en plus maladroite.

— Qu'est-ce qui ne va pas? lui demande Mado.

— Tout ! réplique Julie en frappant la balle... enfin par-dessus le filet !

— Bon, il était temps ! Maintenant, voyons ton service.

Julie prend une grande respiration et espère ne pas rater son service devant l'entraîneur. Elle ne le blâme pas d'être impatient, car elle s'en veut de sa piètre performance.

— Houp !... dans le filet.

— Reprends !.

Simon, son adversaire, est de plus en plus exaspéré. Tous les yeux sont rivés sur elle.

— Houp !... encore dans le filet.

— Une autre comme cela et tu sors !

Julie frappe sa balle avec rage et, heureusement, cette fois elle passe le filet. Simon court pour atteindre la balle mais manque son retour.

— Quel soulagement, Julie ! Je commençais à

penser que tu n'étais plus capable de passer une balle par-dessus le filet.

Robert Simard continue à surveiller Julie jusqu'à la fin du match. Ensuite, il lui demande d'approcher.

— Julie, je ne peux pas te permettre de jouer dans ces conditions. Je ne veux pas que tu quittes l'équipe, tu es un très bon élément, mais pour le moment, ça ne marche pas et tu ne participeras pas au tournoi.

Julie est au bord des larmes et fait un effort pour se retenir.

— C'est très bien, je ne proteste pas, car je sais bien que vous n'avez pas le choix. Je ne peux même pas vous promettre que je jouerai mieux demain.

— Bien, je sais que tu reviendras en pleine forme quand tes soucis disparaîtront, c'est une question de temps. Il lui tapote gentiment l'épaule. Ne t'en fais pas, fillette, et continue à suivre l'entraînement, je tiens à toi, tu sais.

Julie réussit à lui sourire. Mado la rejoint pour savoir ce qui se passe.

— Je ne participerai pas au tournoi.

— Oh! Que vas-tu faire?

— Eh bien, m'asseoir sur le banc et vous regarder jouer! Encore heureux que Simard tienne à ce que je reste dans l'équipe. Tu sais comme je suis nulle depuis quelque temps, et je n'arrive pas à m'améliorer.

— Tu es courageuse d'encaisser le coup aussi bien. Et la natation, ça va?

— Couci-couça, mais je participe à la prochaine épreuve.

— Et Paul? Que vas-tu faire?

— Continuer à être à ses côtés, rien de plus.

Julie se sent moche. Elle a échoué au tennis à cause de Paul, et elle se reproche d'en souffrir. Après tout, le tournoi n'est qu'une vétille ; Paul, lui, ne jouera peut-être plus jamais au tennis de sa vie.

CHAPITRE DIX

Au cégep, on ne s'informe plus de Paul ; c'est normal, comme dit le père de Julie, l'accident ne fait plus « les manchettes ». Deux mois se sont écoulés, et les étudiants croient Paul en bonne voie de guérison ou bien ils l'oublient complètement.

Julie a l'impression que ses camarades l'évitent. Pas ses meilleures amies, évidemment, mais ceux de l'équipe de natation avec qui elle aimait plaisanter quand Paul et elle faisaient encore partie du groupe. Maintenant, elle se retrouve seule au bord de la piscine pendant que les autres discutent de leurs cours, de leurs sorties et de leurs activités sportives. Elle souffre d'être tenue à l'écart.

Mado, à qui elle se confie, lui explique que c'est parce qu'elle ne sort plus comme font les autres.

— Il faut que tu comprennes, Julie, tu ne peux plus bavarder de choses amusantes, de petits potins comme nous le faisons tous.

— Bien sûr que je le peux, mais ça ne les intéresse pas.

— Écoute, je regrette d'avoir à te le dire, mais tu n'es plus très drôle ma pauvre Julie ; tu as de bonnes raisons, je le sais, et personne ne te le reproche, mais personne n'a le goût de rejoindre quelqu'un qui affiche toujours un air si déprimé.

— Je n'ai pas l'air déprimé! Mais tout en protestant, Julie se souvient que sa mère lui disait de sourire, même si elle n'en avait pas envie, d'avoir l'air plus gaie si elle voulait s'aider.

— On le remarque d'autant plus que tu étais une personne si joyeuse, Julie. Je crains que Paul ne soit devenu un poids très lourd pour toi. Que vas-tu faire s'il ne peut plus jamais marcher? Y as-tu songé?

— Évidemment j'y ai pensé, je ne pense qu'à ça depuis l'accident, mais ce n'est pas parce que Paul est paralysé qu'on ne peut plus s'aimer.

— D'accord, mais le fait qu'il soit paralysé peut changer ton amour, il faut que tu t'en rendes compte!

— Mado, je t'en prie! L'amour ne change pas pour une raison comme celle-là. Mais Julie est ébranlée. Elle n'en est plus si certaine et elle doit admettre que sa relation avec Paul est de plus en plus tendue.

— Tu ne peux plus rester aveugle, tu le sais et Paul aussi ; il te laisse une porte de sortie et tu dois en profiter. Tu as quand même beaucoup apprécié ta soirée avec Michel.

— Je n'aurais jamais dû te confier ça!

— Allons! Ne te sens pas coupable, pour l'amour du ciel! À quoi servent les amies si ce n'est à partager leurs secrets, et Michel, ce n'est pas si mal comme secret. Tu devrais le revoir encore.

— Je ne veux pas. Tu ne comprends pas, Mado. Personne ne traverse ce que Paul et moi traversons en ce moment, je ne peux pas abandonner Paul pour partir avec Michel, je ne peux pas!

— Ce serait une bonne idée.

Julie sait qu'elle doit tout essayer pour trouver une solution. Elle ne peut concevoir la vie sans Paul et, en même temps, la vie avec lui lui fait peur.

— Julie, j'ai une bonne idée! Pourquoi ne viendrais-tu pas à la soirée en pyjama que donne Colette demain?

— Je n'en ai pas entendu parler.

— C'est demain ; elle ne t'a pas invitée parce que nous étions sûres que tu refuserais, mais il faut que tu viennes. Tu restes tout le temps enfermée! Les filles apportent toutes quelque chose pour la soirée, et ce sera très amusant.

— Bon! J'accepte avec plaisir.

Colette est une jolie brune avec de grands yeux bleus aux cils épais comme ceux d'Elizabeth Taylor. Sa chambre à coucher est très grande et peut recevoir facilement les huit filles. Elles ont toutes apporté des provisions pour la soirée ; une a fait des biscuits au chocolat, une autre a apporté des petits gâteaux, une troisième des croustilles et des olives et Lucie, la « granola », a apporté du tofu et des carottes, enfin toutes ont contribué à la bouffe.

Quand elles ont fini de dévorer l'immense pizza

que leur a faite la mère de Colette, celle-ci leur suggère une course à bicyclette pour aider à la digestion ; toutes acceptent avec enthousiasme.

— Mais as-tu assez de vélos pour tout le monde? demande Julie.

— Mes quatre frères sont pensionnaires, et de toute façon, j'en ai trouvé suffisamment, dit Colette avec un petit sourire.

Elle les conduit au garage et allume la lumière. Les filles poussent un cri de surprise et éclatent de rire. Rangés au fond du garage, il y a huit tricycles !

— Tu ne t'attends pas à ce qu'on fasse une course là-dessus?

— Pourquoi pas? Vous êtes assez grandes !

Les rires fusent de partout. Elles choisissent chacune un tricycle et le poussent dans l'entrée où les attend la mère de Colette, mouchoir rouge à la main pour donner le signal de départ. « Bon ! Faites bien attention aux tricycles si vous ne voulez pas que tous les enfants du voisinage vous sautent dessus. »

Les huit adolescentes se placent en rang et, au signal du départ, se précipitent dans la rue déserte. Quelques enfants les regardent aller, un peu inquiets pour leurs tricycles.

Diane, la plus petite du groupe, les double toutes et Colette qui a mis ses jambes par-dessus les poignées est deuxième. Les autres suivent comme elles peuvent. Lorsqu'elles atteignent le bas de la côte, elles aperçoivent la mère de Colette, un ruban à la main qu'elle passe au cou de Diane.

— Bravo Diane ! Tu gagnes le premier prix. Elle lui donne un petit paquet enveloppé dans du papier rose.

— J'espère que ça ne se mange pas !

Les filles entourent Diane pour voir ce qu'il y a dans son cadeau. C'est un porte-clés orné d'une paire de souliers de tennis.

— C'est ce qu'il me fallait, merci beaucoup madame.

— Maintenant que vous avez digéré votre pizza, il est temps de songer aux rafraîchissements, qu'en pensez-vous?

Les « cyclistes » la suivent en riant et en blaguant.

— Attends que ton ami apprenne ça, Diane, il va mourir de rire.

— Ne lui en dites rien ! Il croit déjà que je suis tombée sur la tête !

Après avoir rangé les tricycles, les filles s'installent devant le foyer avec leurs provisions. Colette apporte des jeux qu'elle dépose à côté d'elle.

— Qui veut faire une partie de scrabble? Elle a peine à se faire entendre par-dessus la conversation animée. Quatre des amies se lèvent rapidement et se placent autour du jeu.

— Je suis bien contente de voir que tu t'amuses, Julie, dit Colette. Depuis quelque temps, tu n'étais pas facile d'accès, on n'osait plus te parler.

— Tu as été très déprimée, pas vrai? demande Diane.

— Je sais et je m'excuse.

— Tu n'as pas à t'excuser. Je ne sais pas ce que je ferais s'il arrivait une chose pareille à mon ami Thomas.

— Je n'aime pas étaler mon chagrin, mais il est très difficile de rester optimiste quand les choses mettent si longtemps à s'améliorer.

— Paul va s'en tirer, n'est-ce pas? demande Diane.

— Oui, mais ça va être très long, et il ne reviendra jamais comme avant. Il ne pourra probablement plus jouer au tennis ni faire de la planche à voile, mais il pourra faire quand même beaucoup de choses si seulement il peut reprendre un peu d'espoir dans l'avenir.

— Ça doit être terriblement difficile.

— Oui, et il est encore très déprimé en ce moment, mais c'est une phase normale de la récupération, paraît-il.

— C'est vrai?

— Bien sûr, il paraît qu'il faut passer par une grosse dépression avant de se ressaisir et de lutter, mais ce qui m'inquiète, c'est que certaines personnes ne parviennent jamais à s'en sortir. C'est la première fois que Julie parle aussi franchement devant un groupe d'amis et elle se demande si elle n'en a pas trop dit.

— Ma pauvre chouette, personne ne sait ce que Paul et toi devez endurer, dit Mado avec chaleur.

— En effet, Julie, aucune de nous ne s'était rendu compte que c'était si pénible. On pense à la paralysie mais sans comprendre tout ce que ça implique.

— Je pourrais vous en parler longtemps, mais je préfère vous dire que ce soir, je m'amuse beaucoup. C'est la première fois depuis des semaines et ça fait du bien.

— Te sens-tu coupable? lui demande Colette.

— Non, pour une fois. Est-ce que c'est mal?

— Pas du tout, dit Mado en lui offrant des biscuits au chocolat. Tu n'es pas responsable de l'accident de Paul et il serait le premier à te dire qu'il ne veut pas que tu sois malheureuse à cause de lui. Pas vrai, les amies?

— Vrai, répondent-elles en choeur.

— Quand monsieur Simard a décidé que tu ne prendrais pas part au tournoi, j'étais très inquiète pour toi.

— Ce n'est pas grave, Colette, il y en aura d'autres. Monsieur Simard était très déçu mais, heureusement, il comprend bien la situation.

— Et à propos de Michel Morin, il paraît qu'il a un faible pour toi? dit Colette avec un petit sourire espiègle.

— C'est vrai, dit Mado venant au secours de son amie, mais Julie est fidèle à son Paul.

— Une sortie ou deux ne ferait de tort à personne, on ne peut t'accuser de négliger Paul, mais tu dois t'amuser de temps en temps. Je pense que tu n'es jamais sortie avec un autre garçon?

— Non, je n'en ai jamais eu envie.

— Moi, dit Mado, quand j'ai rompu avec Luc, je suis restée dans mon coin quelque temps, mais maintenant je sors et je m'amuse beaucoup. C'est étonnant de voir comment on se remet vite d'une peine d'amour!

— Les circonstances ne sont pas les mêmes dans mon cas.

— Je le sais bien, mais je suis convaincue que Michel peut te remonter le moral. C'est un garçon adorable.

— Bon! Maintenant que j'ai votre bénédiction, peut-être que c'est à moi de décider.

— C'est ça, tu n'as qu'à nous consulter, nous sommes des sages, lui disent-elles en éclatant de rire.

Julie éprouve une sorte d'apaisement: elle sent que ses amies la comprennent et qu'elles sont de tout coeur avec elle, et c'est un sentiment rassurant.

— Je croyais t'avoir dit que je ne voulais plus te voir, dit Paul, l'air maussade, en voyant entrer Julie toute pimpante dans une jolie robe verte.

— Eh bien, je désobéis! Ils sont dans la salle de physiothérapie et Julie s'assoit. On installe Paul contre les barres parallèles où il réapprend à marcher.

— Je n'aime pas qu'on me regarde, dit Paul.

— Pourtant, tu aimes bien avoir un auditoire ; j'admets que je ne fais pas le poids, mais je vais applaudir très fort, car c'est sûrement la chose la plus difficile que tu aies eue à faire.

— Ha-Ha ! Très drôle.

Il se concentre sur ses jambes, dont chaque mouvement lui demande un effort. Julie l'observe et constate à quel point il est difficile de bouger quand on a plus la maîtrise de ses membres. Elle est déçue quand la thérapeute doit l'aider à parcourir la dernière moitié du trajet.

— Félicitations ! C'est un progrès depuis hier !

— Julie n'est pas impressionnée, je dois faire mieux.

— Elle n'était pas ici hier, sinon elle serait épatée.

Elle aide Paul à s'asseoir et va trouver un autre patient.

— Comment aimes-tu notre beau gymnase, Julie? Un peu moins sophistiqué que celui de l'école, non?

— Je remarque qu'il n'y a pas de trampoline, par exemple.

Paul sourit. C'est la première fois depuis longtemps, et Julie se sent tout encouragée.

— Tu es chic aujourd'hui, c'est une robe neuve?

— Oui, je l'étrenne pour toi.

Il l'observe pensivement.

— Quelqu'un t'a invitée à sortir? demande-t-il.

— Non, Paul. Ce mensonge la rend mal à l'aise.

— Accepterais-tu, si l'on t'invitait?

— Non, évidemment.

Julie est troublée en revoyant l'image de sa soirée avec Michel. C'est un souvenir bien agréable. Elle se hâte de changer de sujet.

— Paul, as-tu pensé que tu pourrais couvrir les sports pour le journal du cégep?

— Où as-tu déniché cette idée?

— Eh bien, c'est Michel Morin qui voulait t'en parler ; il croit que c'est un projet intéressant, que ce serait une façon pour toi de participer aux activités.

— Crois-tu que ce soit amusant de suivre des activités sportives en fauteuil roulant? Le pauvre invalide qui assiste à tout sans pouvoir vraiment participer. Julie, tu ne comprends donc rien?

— J'essaie de comprendre, mais cesse de crier.

— Tu es tellement sotte! Je t'ai dit que je ne voulais plus te voir.

— Je me demande pourquoi ; je ne peux pas rester loin de toi, murmure-t-elle doucement.

— Rends-moi service et ne viens plus. Il ferme les yeux, puis lui demande tout de go quand ont lieu les compétitions.

— Cet après-midi.

— Bon, qui nage avec toi?

— Marc Mayrand

— La brasse?

— Oui

— Tu es en forme?

— Oui, j'aimerais tant que tu puisses y assister.

— C'est à peu près tout ce que je pourrais faire, en effet!

Julie juge plus prudent de parler d'autre chose.

— Maman est venue passer quelques jours.

— Ça t'a fait plaisir?

— Oui. J'étais heureuse de l'avoir avec moi.

Julie caresse la main de Paul. Elle sait très bien qu'il peut maintenant prendre la sienne et la serrer, s'il le veut. Elle voudrait tellement qu'il ait un geste tendre, qu'il se penche pour l'embrasser, mais rien, pas un geste. Au moins, il n'a pas reculé quand elle l'a touché. Elle lui donne un baiser sur les lèvres en disant :

— Souhaite-moi bonne chance, j'en aurai besoin.

— Bonne chance, marmonne-t-il. Il lui adresse un vague sourire, et Julie reprend espoir.

Julie est nerveuse. Assise au bord de la piscine, elle regarde le reflet des autres concurrents dans l'eau verte. L'équipe du cégep Dawson lui semble formidable, et eux, ils ont perdu Paul. L'équipe avait misé sur sa performance pour gagner les compétitions, et maintenant qu'il n'est plus là, chacun doit donner son maximum.

Julie se concentre sur les dernières instructions de son entraîneur. Les compétitions intercollégiales de fin d'année sont toujours enlevantes. On peut y apprécier les performances de nageurs exceptionnels.

Voici la brasse, c'est la catégorie de Julie. Elle plonge, elle imagine Paul qui lui sourit à l'autre extrémité de la piscine, elle y met tout son coeur et dépasse tous les autres nageurs. Arrivée au bout du couloir, elle réussit même à gagner une longueur sur son plus proche adversaire, à la grande joie de son entraîneur. Toute l'équipe l'entoure, ravie de son triomphe. Tout à coup, quelqu'un surgit du rang de ses admirateurs et pose un baiser sur sa joue mouillée.

— Félicitations Julie, tu as été fantastique!

Michel Morin la regarde avec admiration, très fier d'elle.

— Merci! Julie en a le souffle coupé.

Après avoir regardé les autres épreuves, Julie passe se changer au vestiaire. À la sortie, Michel est là qui l'attend.

— Fantastique, tu as été fantastique!

— N'exagère pas, j'ai fait de mon mieux, c'est tout.

— La plus belle nageuse que j'ai vue aujourd'hui!

— Michel, je t'en prie, dit Julie en rougissant.

— Quoi, tu n'aimes pas les compliments?

— Ce n'est pas ça, je ne suis pas habituée, c'est tout.

Michel a un aplomb inébranlable, et, dans son

for intérieur, Julie apprécie ce garçon qui lui témoigne tant d'intérêt. Mais toujours ce sentiment de culpabilité en songeant à Paul. Elle préfère renoncer à voir Michel plutôt que d'endurer ce supplice.

— Viens, je t'invite au restaurant pour célébrer ta victoire.

— Désolée, il faut que j'accompagne les autres membres de l'équipe. Monsieur Gaulin va nous donner son évaluation.

— Dans ce cas, je n'insiste pas. Dommage, j'aurais bien aimé passer un moment avec toi. Partie remise, d'accord?

— D'accord, Michel. Au revoir.

Julie rejoint ses compagnons à l'extérieur. Il lui semble qu'elle n'arrive pas à savourer pleinement son exploit, malgré les félicitations qu'elle reçoit. Pendant un instant, elle en veut à Paul d'assombrir toutes ses joies et ses plaisirs, mais elle se ressaisit. Elle songe que Paul n'est pas responsable de ses états d'âme. Au contraire, il serait probablement heureux de la voir s'amuser. « S'amuser, c'est très bien, mais sortir avec Michel Morin, c'est une autre paire de manches ! » pense Julie en prenant place dans la voiture de monsieur Gaulin.

CHAPITRE ONZE

Paul écoute un de ses compagnons jouer de la guitare. Il voudrait être à cent lieues de ce groupe de handicapés qui écoutent la musique d'un air ravi en oubliant provisoirement tous leurs problèmes. Il n'aspire qu'à quitter cette clinique et à retourner vivre avec des gens dits « normaux ». Il sait qu'il a fait plus de progrès que plusieurs des patients qui l'entourent ; il a retrouvé en grande partie l'usage de ses bras et de ses mains, et ses jambes commencent à répondre à la thérapie. On lui laisse entendre qu'il a de bonnes chances de pouvoir marcher un jour.

Le guitariste, Denis, était un champion de football avant son accident. Quand il en parle, il dit toujours : « J'étais un héros, et du jour au lendemain, je suis devenu un paraplégique. » Avec Paul, il est le plus amer des patients de la clinique. Il n'a jamais réussi à accepter son sort. Il termine sa chanson : « et je ne pourrai plus jamais aimer... » La voix est vibrante de tristesse.

— C'est toi qui as écrit cette chanson? demande Paul.

— Oui, ça te plaît? C'est ma nouvelle carrière, je vais écrire des chansons d'amour pour les autres. Ça me rappellera les jours meilleurs où j'avais moi aussi une vie amoureuse. Il sourit tristement.

— As-tu une copine?

— Non, c'est fini. Elle ne voulait pas d'un infirme, et elle m'a laissé tomber. J'ai appris qu'elle m'avait déjà remplacé.

— C'est bien dommage. Paul sympathise en pensant à Julie.

— C'était inévitable, mon vieux, je me suis comporté comme un mufle, elle ne pouvait pas réagir autrement. Elle méritait mieux que d'endurer mes frustrations. Elle a dû trouver un autre joueur de football. Elle aime les costauds, tu sais.

— Je me demande si Julie voit quelqu'un d'autre.

— Lui as-tu demandé? Elle a l'air très fidèle, elle vient te voir presque tous les jours.

— Elle m'a dit qu'il n'y avait personne d'autre, mais comment en être certain? Je ne vois pas pourquoi elle voudrait encore de moi, je ne suis pas particulièrement commode. Paul se tait pour ne pas se trahir.

— Vous êtes tous les deux des mordus de sport, hein?

— Oui, et nous en pratiquions plusieurs ensemble.

— Tu crois que ton accident a tout changé?

— Je n'en sais rien. Chose certaine, elle sait bien que je ne serai plus un champion de natation ni un champion de tennis. Nous aimons tous les deux la compétition, c'est donc très important pour elle. Dans mes rêves, je fais encore tout ça : je marche, je cours.

— Moi aussi. En rêve, je suis formidable, mais hélas, il y a le réveil !

Paul éprouve un pincement au coeur. Si Denis a perdu son amie, la même chose peut lui arriver. Il sait bien que c'est une simple question de temps avant que Julie ne le quitte. Tout aurait peut-être été plus facile si Julie l'avait laissé tranquille après l'accident au lieu de rester toujours à son chevet. Il aurait encaissé les deux chocs du même coup, la perte de son autonomie et la rupture.

Julie entre en coup de vent dans la chambre de Paul.

— Devine !

— Que fais-tu ici, c'est l'heure du dîner, dit-il l'air agacé.

Julie comprend qu'il n'aime pas qu'on le voie manger, car il est encore maladroit.

— Il fallait que je te le dise, nous avons gagné dans la catégorie « brasse ».

— Attention ! Tu as renversé mes pêches !

— Excuse-moi, mais c'est tellement emballant !

— Ouais.

— Tu n'es pas plus content que ça?

Elle remarque son air boudeur. Qu'est-ce qui le préoccupe? A-t-il oublié à quel point c'est important pour elle?

— Nous avons perdu en style libre. Si tu avais été là…

— Si j'avais été là, on aurait perdu quand même, un handicapé ne nage pas très vite.

— Je voulais dire…

— Tu voulais dire avant que je sois infirme, hein?

Julie ne répond pas, les mots lui restent dans la gorge.

— Tu dois cesser de te faire des illusions, Julie, tu dois te rendre à l'évidence et accepter la réalité. Accepter, si seulement j'en étais capable! Il ferme les yeux. Julie se retient pour ne pas pleurer.

— On va trouver une solution, Paul. Je sais qu'il m'arrive de gaffer, mais je voudrais tellement que l'on se comprenne tous les deux.

— Julie, je n'ai plus d'énergie, je ne peux plus lutter. Si je te répète de me laisser, c'est parce que ce serait beaucoup mieux. Mais tu es si têtue, et tu ne veux pas comprendre. Les choses ne seront plus jamais les mêmes. D'autres patients ici, handicapés comme moi, ont été abandonnés par leurs amies. Laisse-moi, ce sera beaucoup plus simple.

Julie soupire.

— Eh bien, moi, je ne lâche pas si facilement, tu t'en rendras compte!

Julie se penche pour l'embrasser, mais il détourne la tête et elle ne réussit qu'à effleurer ses cheveux. Il refuse de la regarder. Julie sort et retrouve Mado qui l'attend dans le hall.

— Pour l'amour du ciel, qu'est-il arrivé encore?

— Viens, je te raconterai tout dans l'auto.

Mado prend le volant de la voiture de Julie et roule lentement. Elle sait prêter une oreille attentive à Julie. Pauvre Mado! Julie a l'impression que, depuis quelques semaines, elle déverse tous ses problèmes sur elle. Cependant, si jamais Mado a des problèmes, elle sait qu'elle fera la même chose pour elle.

— La façon dont je vois les choses, c'est que Paul ne peut s'empêcher d'être jaloux. Bien sûr, il est content pour toi, mais tu réussis dans un domaine où il ne peut plus te suivre, et ça lui fait peur.

— Je n'y peux rien, à moins de tout quitter.

Mado sursaute.

— Il n'en est pas question. Si Paul doit t'en vouloir pour un temps, laisse-le faire, tu n'es quand même pas pour arrêter de vivre! Elle observe Julie et prend un petit air curieux. À propos, je t'ai vue avec Michel après les compétitions, tu n'aurais pas des choses à me raconter?

— Ce que tu es curieuse! Je ne peux rien te cacher!

— Tu dois tout confier à ta meilleure amie.

— Il voulait m'emmener au restaurant, mais j'ai refusé, je lui ai dit que j'allais voir Paul. Il voulait aussi qu'on sorte ensemble de temps à autre.

Julie renverse la tête et ferme les yeux. Elle aurait bien envie de sortir avec Michel, d'oublier pour un temps ses obligations envers Paul, mais elle n'y arrive pas. Elle se demande si c'est l'amour ou son sens des responsabilités qui la retient. Toute sa vie est bouleversée depuis l'accident, elle ne parvient plus à trouver du temps pour ses activités. Ses cours, ses devoirs, ses séances d'entraînement, l'hôpital, tout en souffre. Elle est même sur le point de perdre sa place au sein de l'équipe de tennis. Elle n'en peut plus.

— Je trouve que tu devrais sortir avec Michel, lui glisse doucement Mado.

— J'ai dit à Paul que je ne voyais pas d'autres garcons, je ne peux pas lui mentir.

— Ça fait combien de temps que l'accident a eu lieu?

— Trois mois, quatre mois, je ne sais plus. J'ai l'impression que ça fait des années.

— Et tu persistes à l'attendre comme si tout allait redevenir normal dans quelques jours? C'est fou!

— Je sais bien, mais je ne peux pas faire autrement!

Julie baisse la glace et respire l'air frais à pleins poumons, comme pour éclaircir ses idées.

CHAPITRE DOUZE

— Julie, j'ai reçu ton bulletin et c'est un désastre : des C dans toutes tes matières ! Je sais que tu peux faire beaucoup mieux.

— Peut-être, papa, mais n'oublie pas que nous vivons dans « une société obsédée par le corps », dit Julie, citant la psychologue qui l'a conseillée.

— Eh bien, j'aimerais bien te voir plus préoccupée par ta tête et un peu moins par ton corps, sinon il va falloir que tu abandonnes tes équipes et que je vide ma piscine.

Excessif de nature, monsieur Ducharme étend un énorme morceau de beurre sur son muffin.

— Attention au beurre, papa ! Pense à ton cholestérol !

— Pour les conseils en nutrition, je n'écoute que Jane Fonda.

— Ah bon, je ne savais pas que tu prenais soin de ton corps, dit Julie en riant. Elle espère que son père ne s'attardera pas sur ses mauvaises notes.

— Très drôle, mais ça n'explique pas pourquoi ton bulletin est si moche.

— Papa, si ça peut te faire plaisir, monsieur Gaulin m'a retirée du prochain tournoi parce que j'ai manqué trop d'exercices ; heureusement qu'il y a une piscine ici, je peux m'entraîner plus facilement.

— Ça t'aiderait peut-être si j'installais aussi un court de tennis?

— Ha! ha! Très drôle!

— Ma pauvre Julie, je sais bien que depuis l'accident de Paul, tu ne sais plus où donner de la tête. Tu es à bout, ça crève les yeux. On ne te reconnaît plus.

— D'accord papa, mais tu connais le proverbe : après la pluie, le beau temps. Julie essaie de badiner, mais sans succès.

— Le beau temps, Julie? As-tu songé à ce qui t'attend quand Paul reviendra chez lui si son attitude ne change pas et s'il ne fait pas de progrès? Vous n'êtes pas mariés, tu sais, dit-il doucement.

— Papa, essaies-tu de me dire que je ne suis pas obligée de l'aimer?

— Je ne sais pas, je ne sais vraiment pas! C'est clair que tu aimes Paul et que tu te sens engagée envers lui, mais qu'est-ce qui dicte ta conduite, l'amour ou ton sens des responsabilités? Tu devrais analyser tes émotions, te poser des questions et surtout, te distraire un peu. Tu aurais une meilleure perception des choses.

— Papa, tout le monde veut que je m'amuse. Ça suffit!

— Je suis très fier de toi Julie, tu es formidable. Tu as été admirable avec Paul, mais ça ne peut pas continuer indéfiniment. Un jour, tu vas craquer.

Julie ramasse ses livres sans dire un mot.

— Attends un peu ! Avec une certaine réticence, son père signe le bulletin. Ne t'en fais pas, même si tes notes devenaient pires, je ne viderais pas la piscine.

Julie se penche pour l'embrasser :

— Beurk ! Le grand reporter a de la confiture sur sa cravate !

— Peux-tu trouver quelqu'un pour te ramener après les cours? demande Mado en faisant monter Julie dans sa Ford jaune citron. J'amène Charles à la maison après les cours.

— Bien sûr, il n'y a pas de problèmes. Mais Julie se sent quand même un peu délaissée. Elle compte beaucoup sur Mado quand elle a le cafard.

— Nous étudions ensemble ce soir et nous allons travailler à ma nouvelle pièce. Elle se prend un petit air sérieux.

— Je n'ai pas l'impression que vous allez étudier beaucoup, je remarque que tu étrennes ta petite jupe punk aujourd'hui.

— Crois-tu que ça va lui plaire? Mado a le don de combiner des couleurs qu'elle trouve exotiques. Sa jupe très ajustée, d'un vert criard, est surmontée d'une large ceinture rose bonbon.

— Ou bien il se pâme, ou bien il se sauve en criant !

Quand Julie se rend au vestiaire, elle trouve Michel qui l'attend près de son casier. Il porte un jean neuf et une belle chemise rayée.

— Tu es bien élégant !

— Merci, c'est mon ensemble des grandes occasions. J'invite Julie Ducharme à une sortie et je ne veux pas manquer mon coup.

Julie ne peut s'empêcher de rire.

— Oh, oui?

— C'est un vrai oui, tu acceptes?

— Non, ça veut dire que j'aime ton ensemble.

— Alors, comment peux-tu résister?

— Te résister à toi ou à ton ensemble?

— L'un ne va pas sans l'autre.

Ils rient tous les deux.

— Écoute, je ne sais pas encore pour ta proposition, mais peut-être que tu pourrais me reconduire chez moi après l'école, dit Julie en rougissant légèrement.

— Avec plaisir, ça me donnera l'occasion de plaider ma cause.

Julie a hâte que la journée s'achève. Elle rencontre Michel au vestiaire, puis ils se dirigent vers le stationnement derrière le cégep, où Michel gare sa voiture.

— Est-ce qu'on a le temps de boire un café? demande-t-il en ouvrant la portière d'une MG toute neuve.

— Je n'ai vraiment pas le temps, Michel, je dois aller à l'hôpital.

— Comment réussis-tu à boucler ton horaire avec tes visites à l'hôpital? Moi, je serais une vraie loque !

— Ce n'est pas facile ; mes notes en souffrent, avoue-t-elle en songeant à son bulletin.

— Et les sports? Arrives-tu à te garder en forme?

Elle lui explique ce qui lui est arrivé pour le tennis et combien elle est déçue.

— Que veux-tu, il y a des choses plus importantes, soupire-t-elle.

— Comme Paul Martin? J'aimerais bien que tu ne sois pas si amoureuse de lui ! Il met sa main sur la sienne. Mais c'est quand même une chose que j'admire chez toi, ta fidélité, en plus de ta beauté et de tes aptitudes sportives.

— Continue, j'adore les compliments, dit-elle en riant.

— Et tu entends à rire, tu aimes les animaux...

— Comment le sais-tu?

— Oh, tu as le sens de l'humour et tu ne pourrais pas faire de mal à une mouche.

— Parce que je ris de tes blagues stupides?

— Bien oui, pourquoi pas? Veux-tu que je t'en raconte une bonne? Tiens, c'est ce type qui dit à sa femme : « Ferme la fenêtre, il pleut ! » Et tu sais ce qu'elle répond : « Je l'ai fermée, et il pleut toujours ! »

Julie rit aux larmes.

— Tu vois, tu aimes bien rigoler !

— C'est peut-être que je suis aussi folle que toi !

— Je trouve Paul bien chanceux d'être aimé

d'une fille comme toi.

« C'est malheureux que Paul n'en soit pas conscient », pense Julie dans son for intérieur.

Ils roulent en silence, le ronronnement de la MG berçant leurs pensées. Le paysage défile, calme et majestueux.

Quand ils arrivent chez Julie, Michel se penche vers elle, si près qu'elle se demande s'il veut l'embrasser. Elle retient son souffle, elle ne sait plus quoi faire.

— Eh bien, pour cette sortie, c'est oui ou c'est non, insiste-t-il.

— Appelle-moi ce soir, veux-tu?

Michel a l'air si déçu qu'elle ajoute : « Il faut que j'y réfléchisse. »

— Je comprends, je te téléphone ce soir.

— Ce matin, dans l'ascenceur, une dame s'est penchée pour me parler et m'a dit...

— C'est agréable, n'est-ce pas, de voir les gens se pencher pour vous parler, dit Paul.

— ...elle m'a dit qu'elle avait une de ses bonnes amies qui était en fauteuil roulant.

— Ah ça, nous avons tous de bons amis en fauteuil roulant !

Paul et ses compagnons d'infortune éclatent de rire. Sophie Duparc, une grande rousse élancée au visage tacheté, hausse les épaules et dit :

— Eh bien, c'est toujours mieux que l'indifférence dont vous vous plaignez tout le temps.

Sophie est l'amie de Guy Joron, un garçon charmant devenu quadriplégique après un accident de moto.

Au même moment, Julie ouvre la porte et reste sur le seuil, perplexe. C'est la première fois qu'elle voit tant de monde en physiothérapie. Paul la présente au groupe.

— Julie est une fameuse athlète, n'est-ce pas Julie?

— Toi aussi, Paul.

Sa voix trahit son irritation et ses yeux se remplissent de larmes. Paul s'aperçoit qu'il est responsable de son chagrin et se déteste de l'avoir blessée.

— Paul était en train de me montrer à jouer au bras de fer, dit Yvan. Tout le monde s'esclaffe, car Yvan est paralysé des deux bras. Julie ne rit pas, elle ne saisit pas la plaisanterie ou elle n'y trouve pas matière à rire.

— Vas-tu retrouver l'usage de tes bras? Elle est très mal à l'aise.

— Un jour, peut-être.

— Ne t'en fais pas Julie, on te fait marcher... parce que nous, on ne peut plus. Tout le monde rit.

— Il faut bien rire, même si ce n'est pas toujours drôle d'être impotent.

Paul voit Julie sourciller à ce mot.

— Julie n'aime pas notre choix de mots : infirme, loque, paralytique, etc. Elle ne comprend pas que ce sont des termes affectueux qu'on se lance par plaisir, dit-il d'un ton sarcastique.

— Allons Paul, ne soit pas si méchant, dit Guy.

— Tu n'as pas idée, Julie, comme c'est merveilleux de rouler en admirant des boucles de ceintures, insiste Paul, lui jetant un coup d'oeil.

— Ça doit être très frustrant, en effet.

— Je retrouve la même impression, dit Yvan en souriant, que lorsque j'étais tout petit!

— Personne ici ne te traite comme un enfant, Paul?

Il est soudainement gêné par l'intérêt qu'elle lui témoigne devant les autres. Il ne se comprend plus, il est malheureux quand elle est là et il est malheureux quand elle s'en va.

— Non, personne ici ne me traite comme un enfant, mais il paraît qu'une fois sorti de l'hôpital, c'est ce qui m'attend.

Julie pose sa main sur son bras, mais il feint de l'ignorer et éloigne son fauteuil.

— Je m'en vais, dit Julie, le visage crispé par ses sanglots retenus.

Il se rend compte de sa peine et son coeur se serre, car il sait bien qu'elle pleure rarement. Une fois, quand son petit chat était mort, elle avait pleuré, mais ce n'était pas sa faute à lui, et il l'avait consolée. Aujourd'hui, elle pleure à cause de lui. Il voudrait la consoler mais juge préférable de ne rien dire.

— Au revoir, dit-il, et tous les autres la saluent aussi.

Julie quitte la chambre sans s'apercevoir que Sophie la suit.

— Il ne faut pas que tu t'en fasses trop, Julie. Guy était comme ça les premiers temps. Ils sont amers, ils repoussent la sympathie et, en même temps, ils la réclament de tout leur être.

— Ça va durer longtemps?

— Tout dépend. Certains ne dépassent jamais ce stade, mais la plupart s'en sortent. Ils finissent par comprendre que c'est le seul moyen de vivre convenablement. Paul t'a-t-il déjà dit de t'en aller, de le quitter?

— Oh oui, bien des fois déjà!

— Et tu continues à lui rendre visite? C'est bien ça! Ça prouve que tu es tenace. Il va finir par apprécier le fait que tu puisses l'endurer, même s'il est insupportable.

— Je suis contente de savoir que je ne suis pas seule à traverser cette épreuve. Je ne le souhaiterais pas à ma pire ennemie. Sa mère aussi doit traverser des moments pénibles, mais ce n'est pas la même chose.

— C'est bien différent, en effet. Un garçon accepte plus facilement l'aide de sa mère que celle de son amie. Les hommes font de mauvais patients ; ils ne sont pas habitués à dépendre des autres, bien que je ne comprenne pas pourquoi tout le monde s'entend à dire que c'est plus normal pour une femme.

— Je me le demande aussi!

— Paul a de la chance, malgré tout, et c'est malheureux qu'il ne l'apprécie pas davantage.

— Son attitude négative ne l'aide sûrement pas.

— Il va réagir avant longtemps, tu vas voir. Pour le moment, il a peur.

Sophie aperçoit une rangée de fauteuils roulants près de la porte et dit à Julie :

— Viens, je vais te faire une démonstration. Tu comprendras mieux.

Elle lui explique comment placer ses jambes sur les appuie-pieds, comment manoeuvrer les roues et actionner le frein.

— Il y a des fauteuils motorisés, mais ici on ne veut pas les rendre paresseux. Bon ! tu es installée, suis-moi.

Julie la suit jusqu'au restaurant de l'hôpital.

— Qu'est-ce qu'on fait ici?

— Je veux une tablette de chocolat. Elle en choisit une, la donne à Julie et lui demande de payer. Pendant que Julie cherche sa monnaie, le commis voit Sophie s'approcher et lui demande ce qu'elle veut. Il n'a même pas vu Julie.

— Mon amie veut payer sa tablette, répond Sophie en lui montrant Julie.

— Oh ! Je vous demande pardon. Il rougit et se penche par-dessus le comptoir pour recevoir l'argent.

— Il ne m'avait pas vue ! s'exclame Julie en sortant.

— Tu vois ! C'est toujours comme ça pour eux,

ça doit être très frustrant.

Elles vont replacer le fauteuil là où elles l'ont pris. Sophie écrit son numéro de téléphone sur un bout de papier et dit à Julie :

— Donne-moi un coup de fil si jamais tu as besoin de parler.

Julie la remercie chaleureusement.

— Tu m'as réconfortée. Je t'en suis reconnaissante.

CHAPITRE TREIZE

— Alors, ta réponse? J'ai l'impression de poursuivre une ombre!

Michel plaisante, mais Julie sent qu'il est un peu agacé. Elle est encore ahurie par l'heure qu'elle vient de passer à l'hôpital.

— As-tu des projets? Que dirais-tu du prochain week-end?

La date lui donne suffisamment de répit pour annuler le rendez-vous au moment opportun. Mais, sur le coup, elle n'a pas envie de refuser. D'ici la fin de semaine, il peut se passer bien des choses.

— D'accord pour samedi soir.

— Je te téléphonerai et nous déciderons de l'endroit.

— Parfait, à bientôt, Michel.

— Attends, Julie. Ta voix est changée, qu'est-ce qui ne va pas? T'es-tu disputée avec Paul?

— Oh! Je t'en prie, ne parlons pas de lui.

— Au contraire, il faut que tu en parles. Si ça peut te faire du bien, raconte-moi ce qui se passe.

— C'est toujours la même chose, il n'arrête pas de me provoquer et de me blesser par toute sorte de remarques bêtes. Je commence à le trouver insupportable.

Julie se reproche d'ouvrir ainsi son coeur à Michel, mais elle a besoin de se confier à quelqu'un.

— En fait, on dirait qu'il veut absolument que tu t'éloignes de lui. C'est un comportement étrange, mais il se sent diminué et ta présence vient sans doute lui rappeler son malheur. Sois patiente, Julie, je doute qu'il veuille vraiment te faire de la peine.

Julie apprécie le jugement de Michel. Elle sait bien qu'il l'aime beaucoup et que, malgré tout, il respecte sa relation avec Paul. Il n'essaie pas de profiter de sa détresse. Ils causent encore quelques minutes, puis son père réclame le téléphone.

— Un rendez-vous important, raille-t-il en la poussant du coude. Comme elle ne répond pas, il ajoute : « T'es-tu disputée avec Paul? »

— Paul et moi, ça ne marche plus, papa! Il est tellement grognon. Elle fait mieux de se taire, sinon elle va recommencer à se plaindre.

— Il te fait la vie dure au point que tu ne sais plus si tu as encore envie de t'occuper de lui. Il complète la pensée de Julie avec sa franchise coutumière.

— Papa! Tu es direct. Si direct que ça fait mal! Tu joues au bon journaliste, mais tu sais aussi bien que moi que ce n'est pas si simple.

— Je sais bien, rien n'est jamais simple.

Il donne un rapide coup de fil. Elle entend son

ton sec qui la surprend toujours, même s'il lui a expliqué que les journalistes doivent être brefs et concis.

— À propos, moi aussi j'ai un rendez-vous.

— Avec qui?

— Avec ta mère. Je prends l'avion pour New York cet après-midi. Elle me manque. Tu as son numéro de téléphone?

— Oui.

— Tu peux rester seule?

— Voyons papa! J'ai seize ans, pas six.

— Bien oui, j'oublie toujours! Voyons, ferme bien les portes, prends les messages...

— Mouche-toi, brosse tes dents, ne parle pas aux étrangers et évite de t'empiffrer!

— C'est ça! Comment ai-je pu donner le jour à une enfant aussi géniale? Ça doit être dans les gènes. Il prend sa valise et sort en disant: « À vendredi ».

Après le départ de son père, Julie se sent très seule. Elle souhaite souvent d'être seule à la maison, surtout quand son père écoute les cassettes de ses interviews : ça la rend folle! Mais aujourd'hui, elle ne goûte pas du tout sa solitude. Elle téléphone à Mado.

— Bon! C'est un gros cas de cafard, déduit Mado. Viens-t-en, maman ne remarquera même pas une tête folle de plus!

— Tu es toujours aussi flatteuse, Mado. J'arrive!

Chez Mado, la maison bourdonne d'activité. Ses deux petites soeurs, des jumelles de dix ans, se poursuivent en criant dans toutes les pièces.

— Où est ta mère?

— Oh ! Elle s'est enfermée dans sa chambre, je crois qu'elle fait ses valises, dit Mado en riant.

Les deux petites jouent au Monopoly, se bourrent de sucreries jusqu'à ce que Mado les envoie faire leurs devoirs dans leur chambre. Le calme revient.

— Ce n'est pas seulement le départ de ton père qui te déprime?

Julie avait oublié à quel point elle se sentait malheureuse en revenant de l'hôpital. Elle raconte à Mado ce qui s'est passé au centre de réadaptation, les blagues morbides que les garçons échangeaient sur leur handicap et sa rencontre avec Sophie.

— Je t'assure que je n'ai pas apprécié du tout leurs mots d'esprit.

— Je suppose qu'ils aiment mieux en rire qu'en pleurer.

— C'est une réaction de défense. Sophie m'a dit de ne pas me laisser démolir par ces attitudes inexplicables.

— Pourquoi ne restes-tu pas à coucher? Tu ne dois pas avoir envie de te retrouver seule dans ta grande maison?

— Mado, tu lis dans mes pensées.

— Viens, je vais trouver un pyjama.

Même si d'ordinaire Julie ne voit pas son père

très souvent quand il est à la maison, la solitude lui répugne, et elle trouve toutes sortes de raisons pour ne pas rentrer chez elle. Au lieu d'étudier à la maison, elle reste à la bibliothèque jusqu'à la fermeture et, après avoir avalé une bouchée, elle retourne chez Mado. Elle y resterait bien jusqu'à vendredi, mais Mado a un rendez-vous avec Charles jeudi soir.

Ce soir-là, elle va voir Paul, qui lui annonce qu'il quitte l'hôpital dans deux semaines. Il retourne chez lui et continuera sa physiothérapie en clinique externe. Cinq mois se sont maintenant écoulés depuis l'accident.

— Es-tu heureux? Julie trouve que c'est une très bonne nouvelle.

Il hausse les épaules.

— Qu'est-ce que je pourrais faire de plus chez nous? Le seul changement, c'est que j'aurai encore plus de problèmes.

— Quelle attitude défaitiste!

— Et puis après?

— Pourquoi ne parles-tu pas au docteur Rodriguez?

— C'est ça, dis tout de suite que je suis fou!

— Mais non! Tu as juste besoin de te faire replacer les idées, dit Julie avec fermeté.

La semaine suivante est très difficile pour Paul. Julie ignore s'il a consulté le docteur Rodriguez, mais s'il l'a fait, c'est sans résultat. Julie finit par annuler son rendez-vous avec Michel en lui expliquant que Paul va sortir de l'hôpital et qu'il a besoin d'elle.

— Je m'y attendais ; j'aurais presque envie d'être à la place de Paul, dit Michel.

— Ne souhaite jamais une chose pareille !

— Excuse-moi, je me suis mal exprimé. Alors, partie remise?

— Bien sûr, c'est partie remise.

« Combien de temps encore sera-t-il aussi patient? » Julie s'interroge, parce que sa patience à elle a des limites. Le docteur Rodriguez a-t-elle eu raison de lui conseiller de tenir bon avec Paul? Qu'arrivera-t-il s'il persiste dans son attitude négative? Le Paul qu'elle a connu et aimé existe-t-il encore? Depuis quelque temps, elle se permet d'en douter.

CHAPITRE QUATORZE

— Bienvenue !

— Qu'est-ce que tu en penses, Paul? Sa mère lui indique les guirlandes de papier qui décorent la salle à manger et la grande affiche sur le manteau de la cheminée sur laquelle est écrit : « Enfin de retour ! »

Paul regarde les décorations, l'air renfrogné, bourru.

— Je suis bien content que vous n'ayez pas eu l'idée d'inviter les voisins, je ne tiens pas à être exhibé comme une curiosité.

— Paul ! Julie est indignée, surprise de sa réaction maussade.

En plus de madame Martin et de Julie, ses deux frères, Pierre et Yves sont venus, ainsi que Manuel, le seul de ses copains handicapés qui ait lui aussi reçu son congé. Madame Martin a cru que ce serait une bonne idée de l'inviter.

— Je parie qu'il y a longtemps que tu n'as pas mangé un beau gâteau au chocolat « maison »?

— Non, l'autre jour Sophie en a apporté un à Guy pour son anniversaire. Tu n'y étais pas, Julie, et tu as manqué un des grands moments de mon séjour à l'hôpital.

— Je suis certain qu'il n'était pas aussi bon que celui de ta mère. Manuel tente d'alléger un peu l'atmosphère.

Julie refoule sa colère. Elle a consacré deux cours d'art plastique à la fabrication de cette grande affiche, et madame Martin a pris la peine de préparer le gâteau favori de son fils. Paul, lui, ne pense qu'à les blesser.

— Enfin, tu vas pouvoir te régaler, dit Julie pour meubler la conversation. Tu n'es pas au régime?

— Non, mais je vais être obligé de m'y mettre si tout le monde insiste pour me nourrir.

— Toujours le « gouffre sans fond », dit-elle en riant. As-tu des problèmes de poids, Paul? Tu ne sembles pas avoir grossi?

— Je suis heureux que tu me le demandes à moi. J'ai horreur de voir les gens discuter de mon cas comme si je n'y étais pas. Non, je n'ai pas eu ce problème, la cuisine de l'hôpital n'est pas du genre gourmet.

— Tant que tu feras tes exercices, tu ne risques pas de grossir.

— Ah oui? Je vais courir au dépanneur... sur la tête!

— Très drôles, tes sarcasmes!

Julie regarde Paul, puis son morceau de gâteau, et éprouve une envie folle de le lui écraser sur la figure. Madame Martin lui dit tout bas, pour éviter que les autres ne l'entende :

— Julie, je ne sais comment te remercier de ce

que tu as fait pour Paul. Sans toi, il aurait été désemparé, tu as été sa véritable source d'inspiration.

— Je n'en suis pas sûre, madame Martin. Par moments, j'ai eu l'impression que je l'embêtais plus que je ne l'aidais. Je crois que je ne lui fais plus ni chaud ni froid.

— Il tient toujours beaucoup à toi, mais en ce moment, il refuse toute démonstration d'affection. Je prie pour qu'il surmonte son amertume et pour qu'il puisse recommencer à jouir un peu de la vie. Ses yeux se remplissent de larmes, et Julie remarque comme elle a vieilli depuis quelque temps. Elle a les traits tirés et de petites rides autour des yeux et de la bouche.

— Il va y arriver, dit Julie sur un ton qu'elle voudrait plein d'assurance.

Elle s'excuse auprès des autres, qui grignotent leur gâteau en silence.

— Il faut que je parte, j'ai un examen de biologie, je dois étudier et, en plus, il faut que j'aille nager. Merci pour tout, madame Martin. Le gâteau était délicieux.

— Ne me dis pas que tu nous laisses seuls avec cet infirme grincheux? dit Manuel en riant.

Pierre et Yves rougissent jusqu'à la racine des cheveux et Julie voit bien qu'ils sont mal à l'aise en entendant Manuel traiter leur frère d'infirme. Ils tournent autour de Paul, pleins de sollicitude, mais en prenant toute sorte de précautions, comme s'il était devenu très fragile.

« C'est ainsi que j'agis, moi aussi. J'ai peur de le troubler, et évidemment ça ne manque pas », songe-t-elle.

Dehors, il pleut. Julie lève la tête et offre son visage à la pluie pour calmer son irritation. Il lui devient de plus en plus difficile de se rappeler ce qu'elle aimait chez Paul, tant il l'exaspère.

— Allô ! La voix de Michel redonne à Julie sa bonne humeur. Comment ça va? As-tu le goût de sortir? Tu dois trouver que ma rengaine est usée? Bientôt, je crois que je vais brancher un message enregistré sur le téléphone.

Julie rit.

— Je ne crois pas que tu doives en arriver là ! Il y a quand même de petites variantes.

Ils décident d'aller patiner à la roulathèque. Julie y est allée plusieurs fois avec Paul et elle est très agile sur ses patins. Mais Michel est un néophyte, et après quelques chutes sur le derrière, il supplie Julie :

— Qu'est-ce que tu dirais de faire quelque chose de moins dangereux? Je risque de me blesser, plaisante-t-il.

Julie lui tend la main en riant pour l'aider à se relever.

— Je ne veux pas te forcer à risquer ta vie ! Viens, allons manger une glace au Perroquet.

Michel enlève ses patins avec un empressement exagéré.

— Allons-y !

Le restaurant est bondé. On y trouve surtout des étudiants du cégep. Julie est embarrassée par les regards de ses collègues, dont quelques-uns la saluent. Michel la conduit vers une petite table dans un coin.

— Attends-moi ici, je vais chercher nos coupes.

En son absence, Julie joue avec le sucrier, feignant de ne pas entendre les remarques d'un couple assis derrière elle.

— Je pensais qu'elle sortait avec Paul Martin?

— Oui, mais tu n'as pas entendu parler de l'accident de Paul? Il est paralysé. »

— Crois-tu qu'elle l'a quitté?

— Ça, je n'en sais rien. On dirait bien.

— Je me demande ce qu'en pense Michel.

— Chut ! Elle pourrait t'entendre.

Michel revient avec une énorme « coupe Danemark ».

— D'accord, dit-il en passant une cuillère à Julie, voyons qui finira le premier.

Julie s'efforce de sourire malgré son envie de pleurer. Comment ces gens osent-ils parler ainsi? Ils ignorent tout de son drame à elle, de celui de Paul.

— Julie ! Qu'est-ce qui se passe? Tu ne souris plus ! Michel la regarde avec inquiétude.

— Ça va, mais j'aimerais partir d'ici dès que nous aurons fini.

— Si tu veux. Il essaie de dissimuler sa déception. Je croyais que tu voudrais peut-être danser?

— Non, je t'en prie, c'est trop bruyant ici.

Ils mangent en silence, et Julie a l'impression qu'elle n'arrivera jamais au fond de son assiette. Michel attend…

— Je t'en laisse ; je ne veux pas que tu me prennes pour un goinfre.

— Mange le reste, je ne peux plus avaler une bouchée.

Ils partent sous les regards curieux.

— Ouf! dit Julie. J'avais l'impression d'être une femme à barbe dans un cirque.

— Qu'est-ce qui s'est passé, pourquoi ce malaise?

Julie lui raconte la conversation qu'elle a entendue.

— Quand les gens apprendront-ils à se mêler de leurs affaires et à se taire! dit Michel, furieux.

— Même si je n'avais rien entendu, j'aurais su ce qu'ils pensaient à la façon dont ils nous examinaient.

— Vraiment? Je n'ai rien remarqué.

— C'est moi qu'on regardait. Pendant que Paul était à l'hôpital, on s'informait de lui tous les jours, puis, au bout de quelque temps, plus rien. On a même cessé de me parler. Maintenant, les langues vont aller bon train à notre sujet.

— Pas nécessairement, proteste Michel.

— J'entends déjà leurs commentaires. « Elle l'a plaqué parce qu'il est paralysé ». N'est-ce pas ce que tu penserais à leur place?

Michel rougit un peu.

— Ils sont peut-être tout simplement curieux.

— Peut-être, mais ils sautent vite aux conclusions.

— Tu es seule juge de tes actes, alors qu'est-ce que ça peut bien te faire?

Comme elle ne répond pas, il continue.

— Je sais que tu te sens coupable d'être sortie avec moi. Écoute, je ne m'attends pas à ce que tu oublies Paul. J'espère gagner ton affection à la longue, c'est vrai, mais en ce moment, je veux simplement que nous soyons amis.

Julie essuie ses yeux avec son mouchoir.

— Excuse-moi Michel, je regrette d'avoir gâché notre après-midi. Ce n'était pas mon intention, je suis plutôt une nature gaie.

— Allons! Sa main se pose sur celle de Julie, qu'il serre affectueusement. Je comprends tout, et tu n'as pas besoin de t'expliquer. Te voilà chez toi, saine et sauve.

— Merci, je me suis bien amusée, dit Julie en reniflant. Elle se sent complètement idiote.

Michel essuie une larme sur sa joue et dit en riant :

— Menteuse!

Julie comprend qu'il ne lui en veut pas.

CHAPITRE QUINZE

— Je n'ai pas vu Paul à l'hôpital depuis un bout de temps, qu'est-ce qu'il devient? demande Sophie. Les deux filles se font bronzer dans la cour chez Julie.

— Ah bon ! J'étais convaincue qu'il poursuivait ses traitements. Il sait à quel point c'est important.

— Peut-être que sa mère le dorlote trop. C'est ce qui est arrivé avec Guy. Il est devenu complètement amorphe. Il n'essayait même plus de se débrouiller.

« Zut ! pense Julie. Madame Martin a justement tendance à jouer les mères poules. »

Elle n'a pas parlé à Paul depuis quelques jours. Chaque fois qu'elle téléphone chez lui, sa mère lui dit qu'il se repose ou qu'il ne peut pas répondre. Julie en a déduit qu'il préférait être seul. Elle n'a pas insisté, car elle n'avait pas envie de le voir. Mais là, c'est autre chose. Elle doit aider Paul. Pas question de le laisser assis dans son coin et de le regarder dépérir.

Dans une des brochures qu'on lui a données à l'hôpital, elle trouve une liste d'agences spécialisées dans les soins aux handicapés. Elle fait plusieurs téléphones, et le lendemain à cinq heures, elle se rend chez Paul, armée de toutes les méthodes offertes aux handicapés pour s'adapter au monde extérieur.

— Que viens-tu faire ici? lui demande-t-il en l'apercevant sur le palier.

— J'ai des renseignements pour toi. Il jette un regard sur les brochures et fronce les sourcils.

— J'ai beaucoup lu sur le sujet pendant que j'étais à l'hôpital.

— Mais tu te conduis comme si ça ne te concernait pas. Essaies-tu au moins de te débrouiller seul, d'être autonome?

— Mêle-toi de tes affaires!

— Et tu ne vas plus à la clinique de physiothérapie, je le sais.

— Qui te l'a dit? Ton petit doigt?

— Laisse faire. Il faut que tu sortes de ton fauteuil et que tu fasses de l'exercice. Sais-tu que le respect et l'estime de soi dépendent du soin qu'on prend de sa personne? Julie cite cette phrase qu'elle a lue dans un des manuels. C'est une question très importante!

— Pour toi peut-être, mais pas pour moi.

— Sais-tu que tu peux conduire une auto, que tu peux nager dans des piscines spéciales, que tu peux faire beaucoup de choses si seulement tu t'en donnes la peine.

Il hausse les épaules.

— Ça te ferait tellement de bien de sortir d'ici. Pourquoi ne viens-tu pas au prochain tournoi de natation? Tes amis seraient heureux de te voir.

— Moi, je ne veux pas les voir.

Julie sait qu'il a été très distant avec deux de ses meilleurs amis, Marc et Richard, qui font partie de son équipe. Il a pourtant bien besoin de tous ses amis, mais il refuse de l'accepter.

— Un jour, tu regretteras ton attitude. Si tu restes enfermé toute la journée, tu vas devenir de plus en plus grognon, de plus en plus déprimé et pitoyable. Tu ne peux pas passer tes journées devant la télé, tu vas devenir fou! Il te faut quelque chose de plus stimulant que ces stupides feuilletons, je te connais!

Paul gémit et met la main devant ses yeux.

— Avant que tu décides de te prostrer et de te laisser mourir à petit feu, je te laisse le journal de l'école. Tu pourras savoir ce qui se passe en dehors de cette maison. Michel t'avait offert de collaborer à la section des sports, mais il n'y tient peut-être plus. En tout cas, Paul, si tu refuses de t'aider...

Les larmes l'empêchent de terminer sa phrase.

— Tu ne voudras plus de moi, c'est ça? demande-t-il doucement. C'est très bien Julie, tu aurais dû me laisser tomber depuis longtemps.

— Je suis sérieuse, Paul. Je t'aime toujours mai ça devient de plus en plus difficile. Je sais que c'es pénible, mais il faut que tu essaies!

Après son départ, Paul ressent l'absence de Juli comme une rafale glacée qui aurait emporté un partie de son être. Elle lui manque terriblement, même s'il a tenté de se convaincre qu'il pouvait se passer d'elle. Il n'a plus d'avenir et il est inutile de rêver. Il ne croit plus à ces histoires de réadaptation, qui demandent des années d'effort et promettent des résultats bien incertains.

Rageur, il erre dans la maison, accrochant les meubles avec son fauteuil, renversant les plantes vertes.

— Paul ! Qu'est-ce que tu fais? Fais attention ! Tu peux te faire mal ! s'écrie sa mère.

Ces mots le galvanisent, il fonce vers l'escalier, parvient à descendre les marches, traverse la pelouse, roule vers le patio à l'arrière de la maison, où il finit par tomber de son fauteuil. Sa mère sort en courant.

— Paul ! Arrête, je t'en prie ! Essaies-tu de te tuer?

— Laisse-moi tranquille ! Laisse-moi me débrouiller seul, dit-il en réussissant à remonter dans son fauteuil. Maman, tu ne peux pas tout faire pour moi, je ne suis pas un bébé, seulement un pauvre infirme qui doit apprendre à devenir autonome.

Il se propulse vers le trottoir à toute vitesse, manque de basculer, se rétablit et, ragaillardi, continue sa course. Il veut surmonter tous les obstacles. Il voit des gens qui marchent, inconscients du privilège dont ils jouissent. Il voudrait être à leur place, il les envie tellement.

Paul manoeuvre son fauteuil, descend vers l'arrière de la maison en évitant les roches et les trous. Il se sent en confiance. Julie a raison, il n'est pas question de dépendre des autres, même s'il doit rester handicapé pour la vie.

Le fauteuil gémit, cahote, bascule. Paul est projeté à terre de nouveau, et il réussit encore à se hisser sur son siège. Il est fier de ses prouesses. Il comprend ce que Julie essaie de lui faire accepter depuis si longtemps. Il ne faut pas qu'il se résigne à son état d'handicapé, c'est à lui de se battre, de faire tous les efforts possibles pour retrouver ses capacités, au moins en partie. Elle a eu le courage de l'endurer tout au long de cette épreuve. Pour elle, il doit éviter de se complaire dans la dépression. Il essuie ses larmes, humilié de constater sa faiblesse. Il faut qu'il cesse de s'attendrir sur son sort, de repousser la sympathie de ceux qui l'aiment. Le docteur Rodriguez avait raison : il a créé son propre enfer. Comment pourrait-il blâmer Julie de refuser de le voir après les tourments qu'il lui a infligés.

« Non, se dit-il, je ne resterai pas impotent, je vais m'en sortir le mieux possible et je vai marcher. »

Il fonce vers sa maison devant le regard ahur des enfants et de quelques passants curieux, réussi à franchir le seuil de la porte et regagne sa cham bre. Là, il entreprend de mettre les prothèse qu'on lui a données à l'hôpital. En l'entendant, s mère se précipite :

— Paul, laisse-moi t'aider.

— Non, maman ! Je veux y arriver tout seul. Il est aussi essoufflé que s'il venait de courir le marathon.

— J'étais inquiète, j'avais tellement peur que tu te blesses.

— Maman, cesse de te tracasser ! Il réussit à se mettre debout, se penche vers elle et lui donne un gros baiser sur la joue.

— Ça va aller, tu vas voir. Merci de ta sollicitude.

— O.K., Paul...

Elle en a le souffle coupé : Paul est debout. Il tremble sous l'effort, mais il triomphe.

— Nous serons là pour t'encourager, ma chérie.

Monsieur Ducharme ébouriffe affectueusement les cheveux de sa fille. Julie est nerveuse. Le temps pour les compétitions de la finale est maussade, le ciel est gris et on dirait qu'il va pleuvoir. Il y a trente-cinq concurrents qui participent au cent mètres style libre. Cette catégorie n'est pas la spécialité de Julie. Elle remplace un de ses coéquipiers qui s'est désisté à la dernière minute.

Elle jette un coup d'oeil dans les estrades, où elle aperçoit son père, puis soudain sa mère qui agite une écharpe. Elle lui envoie la main, ravie et encouragée. Sa mère est venue de New York spécialement pour assister aux épreuves de natation.

L'assistance se tait quand les nageurs prennent place. Au signal, Julie plonge et fend l'eau avec des mouvements rythmés, puissants ; elle savoure le plaisir de se sentir en pleine possession de ses moyens, elle est plus en forme que jamais. Elle refuse de penser à Paul, à la façon dont elle l'a quitté hier. Elle se concentre sur la compétition. Les fans du cégep sont fous de joie quand Marc et Julie terminent la course. Il est premier et elle, deuxième. Elle est accueillie par des visages joyeux, mais ce qui frappe son regard, ce ne sont pas les copains en délire, c'est Paul. Paul, dans son fauteuil roulant, à côté de son ami Jacques. Elle plisse les yeux pour s'assurer qu'elle ne rêve pas. C'est bien lui ! Il est venu !

Avec une énergie encore plus grande, elle plonge pour l'épreuve de la brasse, sa spécialité. Elle finit bonne première, sous un tonnerre d'applaudissements.

Pendant qu'on affiche les résultats, monsieur Gaulin s'approche de Julie.

— As-tu vu Paul? Mon Dieu que je suis content de le voir ici !

— Moi aussi, je ne croyais jamais qu'il viendrait.

Réjeanne s'approche de sa fille et l'enveloppe dans une grande serviette de bain.

— Félicitations ma chérie, je suis fière de toi.

— Tu as été formidable Julie, dit son père en l'embrassant.

Mado et Colette arrivent en courant.

— Quelle performance !

Michel s'approche aussi ; il a l'air un peu triste.

— Bravo, championne !

Dans toute cette confusion, elle n'a pas remarqué Paul, qui s'est approché doucement.

— Tu as été fantastique, Julie. Il sourit et lui serre doucement le bras. Une sensation familière passe dans son bras à l'endroit où il l'a touchée. Il y a si longtemps qu'il n'a pas eu un geste affectueux envers elle, ça lui fait chaud au coeur.

— Paul, c'est si bon de te voir ici. Elle bafouille un peu, elle ne sait pas comment le remercier d'être venu. Elle frissonne et serre la serviette autour de ses épaules.

— Qu'est-ce qui a bien pu te décider? Elle songe à la scène d'hier.

Il soulève le magnétophone qu'il a sur les genoux.

— C'est mon premier reportage, explique-t-il, avec un regard qui la trouble, tout comme autrefois. Et tous les deux, ils éclatent de rire, un rire qui les unit, comme s'ils étaient seuls au monde.

CHAPITRE SEIZE

Julie parcourt l'auditorium du regard. La petite salle est remplie à craquer. Au premier rang, bien sûr, les amis de Mado, qui sont venus apprécier leur comédienne préférée dans un de ses nouveaux spectacles. Les étudiants commencent à se faire bruyants, ils ont hâte que le rideau se lève. L'éclairage se met à diminuer progressivement, le bruit des conversations s'estompe. Voilà, la pièce commence. Julie admire beaucoup Mado et son talent de créatrice, mais ce soir elle a de la difficulté à suivre la pièce, dont l'intrigue est pourtant fort simple : il s'agit d'un vaudeville, un genre qui n'a plus de secret pour Mado. La salle rit de bon coeur à chacune des blagues, et Julie se laisse gagner doucement par cette atmosphère d'insouciance et de gaieté.

À l'entracte, Julie se rend en coulisse pour féliciter son amie. Elle adore cet univers si particulier, qui est bien différent de son monde à elle. Elle songe que Mado a de la chance de pouvoir s'évader dans ses rêves, de réussir à s'amuser avec son imagination débridée.

— Fantastique, Mado, c'est un succès !

— Mais bien sûr, tu verras, à la fin, il y aura une

ovation!

— Tu ne manques pas d'assurance, comme d'habitude.

— Que veux-tu, je sens que c'est bon, j'en suis convaincue. Çe serait ridicule de te faire un numéro d'angoisse.

Mado change brusquement de sujet.

— Est-ce que Paul est avec toi?

— Non, je ne lui ai pas téléphoné. Je ne veux plus toujours faire les premiers pas. S'il veut me voir, il n'a qu'à m'appeler.

— Pourtant, il avait l'air bien, hier, à la piscine.

— Oui, ça m'a fait chaud au coeur de le voir. Tu sais, je lui ai parlé plutôt durement l'après-midi chez lui, et je n'étais pas sûre d'avoir bien agi.

— Qu'est-ce que tu lui as dit?

— Qu'il devait sortir de sa torpeur, de son défaitisme. J'espère que je ne suis pas allée trop loin.

— Ne t'en fais pas, il ne t'en veut pas. La preuve, il est venu hier. Au fait, c'était sa première vraie sortie depuis son retour. Il a voulu te montrer qu'il t'aimait toujours, j'en suis certaine.

— J'espère que tu as raison, dit Julie en embrassant son amie. Je retourne dans la salle, je reviendrai à la fin de la pièce.

En regagnant sa place, Julie se met à regretter de ne pas avoir invité Paul à venir voir la pièce avec elle. Elle souhaiterait qu'il soit à ses côtés, comme avant.

La sonnerie du téléphone retentit.

— Viens-tu faire un tour?

Julie éloigne le récepteur de son oreille tellement elle est surprise d'entendre la voix de Paul. Elle revient tout juste du cégep, où, comme prévu, la pièce de Mado s'est terminée sous un tonnerre d'applaudissements.

— Avec toi?

— Qu'est-ce que tu crois? Maman et moi avons changé de voiture. Nous avons une nouvelle voiture spécialement équipée pour les handicapés. Viens-tu l'essayer avec moi?

— Oui!

Quelques minutes plus tard, elle entend une série de coups de klaxon. C'est le signal que Paul utilisait toujours quand il venait la chercher auparavant. Elle se précipite dans l'entrée et voit Paul au volant, heureux et souriant ; elle a envie de hurler sa joie. Il fait ronfler le moteur avec un petit air frondeur.

— Monte, je vais te montrer ce que je sais faire.

C'est une voiture sport bleu pâle particulièrement jolie. Les passants se retournent avec stupeur sur leur passage. Les collègues du cégep en restent bouche bée.

— Ils ne peuvent pas croire que c'est toi, dit Julie en riant. Elle examine le mécanisme qui commande le frein et l'accélérateur. Tout est activé manuellement.

— C'est un peu compliqué de passer du fauteuil

au siège de l'auto, mais c'est beaucoup mieux que de rester assis à la maison. Je vais recommencer à nager avec monsieur Gaulin la semaine prochaine. J'ai bien hâte.

— Je suis si contente pour toi. Tu as dû lire ce qu'on disait au sujet des compétitions de nage pour les handicapés?

— Oui, je l'ai lu. Et puis je deviens rédacteur sportif pour le journal. Je ne suis pas très doué pour l'écriture, mais Michel pense que je peux m'en tirer.

En conversant avec Michel, Paul a bien senti que celui-ci avait un faible pour Julie, mais il préfère oublier cette idée. Il ne veut pas gâcher cette soirée merveilleuse.

— Veux-tu qu'on aille prendre un verre?

— Te sens-tu capable d'y aller?

— Maintenant, je suis prêt à tout!

— Vraiment Paul, je préfère qu'on reste assis à parler. Il y a si longtemps que nous n'avons pas eu une bonne conversation.

Paul gare la voiture sur le belvédère qui domine la ville. Il attire Julie contre lui et l'enlace. Ils contemplent la ville, ses lumières qui scintillent.

— Tu sais Julie, j'ai souhaité mourir bien des fois après mon accident et je sais que, de temps à autre, je connaîtrai encore des moments difficiles. Il y a des jours où c'est intolérable, d'autres où j'arrive à me sentir bien malgré tout.

Il contemple Julie et se dit : « Comment ai-je pu

vouloir l'éloigner, elle est si vivante, si parfaite ! »

— Sans toi...

— Je n'y suis pour rien, Paul. Tu as retrouvé une source d'énergie que tu croyais perdue à jamais.

— Non, tu y es pour beaucoup. Je te disais de me quitter parce que je t'aime et que je n'avais plus rien à t'offrir. Si tu n'avais pas insisté pour me secouer, pour me remonter le moral et finalement me faire comprendre que j'étais en train de me détruire, je ne sais pas si je m'en serais sorti.

— Moi, j'ai toujours eu confiance en toi.

« Et pourtant, songe-t-elle, bien des fois, au cours de ces huit mois, j'ai souhaité ne pas l'avoir connu et j'ai eu envie de le laisser tomber. J'ai douté de lui, je me suis demandé s'il était aussi solide que je l'avais cru, aussi fort. Enfin, moi aussi j'ai eu des moments de faiblesse. Qui n'en a pas? »

— Peut-être qu'on peut être à la fois fragile et solide. L'un n'exclut pas l'autre.

— Que dis-tu?

— Oh ! Je ne sais plus, peut-être que ça n'a pas de sens.

Il observe en silence son profil et éprouve le besoin de la serrer contre lui, de l'embrasser. Il prend le visage de Julie dans ses mains et l'attire vers ses lèvres, très doucement.

— Je t'aime, Julie, ne l'oublie jamais, dit-il d'une voix un peu rauque.

Puis ils s'embrassent longuement, passionnément, et Paul retrouve des sensations qu'il croyait désormais interdites. Il se jure de ne plus jamais la laisser partir. Julie se sent bien dans ses bras.

— Moi aussi, je t'aime, tu le sais bien.

— Si je ne redeviens pas normal, m'aimeras-tu quand même?

— Tu n'as jamais été normal !

Ils éclatent de rire ; ils sont si bien ensemble. Paul la tient bien serrée contre lui, afin qu'elle ne voit pas couler ses larmes. « Donc, pense-t-il, un gars fort comme toi, ça peut aussi pleurer ». L'émotion du moment est trop forte.

— Si tu savais comme je te suis reconnaissant de m'avoir soutenu tout ce temps, murmure-t-il.

Mais Julie n'a pas besoin de l'entendre ; la ferveur de son étreinte en dit davantage.

— Les médecins m'ont assuré que si je travaille très fort, dans un an ou à peu près, je pourrai marcher normalement. Je vais y arriver, je le sais.

— Moi aussi je le sais et, de toute façon, nous serons ensemble.

Elle se blottit amoureusement dans ses bras.

Le lendemain, monsieur Gaulin invite l'équipe de natation au restaurant pour célébrer la victoire. Le souper s'annonce merveilleux, car l'entraîneur a des goûts de luxe et il a proposé à ses nageurs de les emmener au Soleil Levant, un restaurant japonais où l'on sert de délicieux *sushis*. Paul est de la partie, c'est la première fois qu'il ose sortir avec ses amis depuis l'accident. La bande se réunit autour d'une grande table et l'atmosphère est extrêmement agréable. Tout le monde blague et s'amuse. Julie est radieuse : elle savoure sa victoire et se réjouit de la présence de Paul, qui ne la quitte pas des yeux.

Le repas commencé, monsieur Gaulin propose un toast.

— Je lève mon verre à nos deux champions du jour, Julie et Marc. J'en profite aussi pour saluer le retour de Paul Martin au sein de l'équipe. Tu nous as bien manqué, Paul !

Paul est ému, il ne sait plus quelle contenance adopter. Lui qui a vécu d'amertume et de rage depuis des mois, il est déconcerté par ce témoignage d'affection inattendu. Il songe à toutes ces idées noires qui l'ont assailli pendant son séjour à l'hôpital : la peur d'être rejeté par ses amis, par la société. Il se rend compte que tout cela était le fruit de son imagination. Enfin, il peut s'accorder un moment de distraction. Il en oublie même un instant son accident et son handicap. En face de lui, Julie lui sourit tendrement, et il sent tout l'amour qu'il a essayé de taire et de dissimuler monter dans sa poitrine comme une vague immense qui gonfle avant de déferler sur le rivage. Il se surprend même à être heureux.

— Excusez mon retard, dit Michel Morin en arrivant à la table, mais j'ai été obligé de passer à la maison. J'espère que vous m'avez laissé quelque chose à manger !

Julie est mal à l'aise en apercevant Michel. Elle avait oublié qu'il était aussi invité, à titre de rédacteur du journal et de partisan inconditionnel de l'équipe. Elle craint que Paul ne s'aperçoive de la cour discrète que lui fait Michel. Pour arranger les choses, celui-ci il s'assoit à côté d'elle.

— Tiens, Paul ! Quel plaisir de te voir ici. Comment ça va, mon vieux?

— Bonjour, Michel. Je m'habitue à mon sort, comme tu vois.

— Tu as du être ravi de la performance de Julie?

— Oui, évidemment.

Paul n'a pas l'air très content de l'arrivée intempestive de Michel. Il a repris son ton bourru des mauvais jours.

Julie est de plus en plus inquiète. Heureusement, avec son tact habituel, Michel fait mine de rien et s'arrange pour poursuivre la conversation sur un ton badin.

Le repas continue sans incident, mais Paul est triste. Son fragile bonheur a cédé devant l'image qu'il a sous les yeux : Michel et Julie sont tous les deux très beaux, sûrs de leur charme et de leurs forces. Lui, il ne lui reste qu'un rêve et peut-être un maigre espoir. Il a beau ne pas vouloir jouer les martyrs, il ne peut s'empêcher de faire des comparaisons. Il sent bien que Julie n'est pas insensible à la prestance de Michel, et il maudit ce fauteuil roulant qui fait de lui un être diminué. Michel réussit à détendre l'atmosphère avec quelques bonnes blagues, que Paul feint d'apprécier. Il ne veut pas montrer son dépit à Julie.

Après le repas, monsieur Gaulin offre à Paul de le conduire chez lui. Julie insiste pour que Paul monte avec elle, mais à sa stupéfaction, Paul accepte de rentrer avec monsieur Gaulin. Lorsque Julie vient l'embrasser, il lui serre les mains très fort, et par ce seul geste, il lui fait comprendre qu'il l'aime toujours. Pourquoi refuse-t-il de rentrer avec elle? Au moment de passer la porte, Paul se retourne pour lui adresser un sourire si triste qu'elle en est toute bouleversée. Elle le regarde disparaître, fragile et émouvant dans son fauteuil.

Paul regarde sa chambre comme s'il s'agissait d'un lieu tout à fait nouveau, un endroit indifférent à sa tristesse et à son soudain besoin de tendresse. Sa mère n'a pas réussi à le réconforter, malgré toute sa sollicitude. Elle est trop maladroite, ses attentions sincères se traduisent inmanquablement par des reproches ou des leçons de morale. Elle a une grande foi dans la Providence et elle prétend que tout finira par s'arranger. Paul n'est pas dupe, mais il envie ces gens qui arrivent à philosopher sur le sens de l'existence. Son accident l'a transformé, il s'en rend compte pour la première fois. Lui qui n'avait jamais peur, lui l'audacieux par excellence, il est terrorisé par le sort qui l'attend.

Il a cru un moment qu'il pourrait s'adapter à son état d'handicapé, mais ce n'est pas si simple. Tout à l'heure, pendant le souper, il a bien vu que les sentiments de Julie à son égard n'étaient plus les mêmes. Bien sûr, elle agit comme si elle était toujours amoureuse de lui, mais il ne s'y trompe pas. Il a remarqué son regard trouble lorsque Michel Morin est arrivé à la table. Ce garçon ne lui est pas indifférent, et comment pourrait-il la blâmer? Lui, Paul, s'est acharné à éloigner Julie pendant son séjour à l'hôpital, il l'a méprisée, ridiculisée. C'est un miracle qu'elle accepte encore de l'aimer.

Mais les sentiments ne se commandent pas, il en est bien conscient. Julie ne peut pas s'empêcher de faire la comparaison entre sa mauvaise humeur presque perpétuelle et la légèreté charmante de Michel. Comment se ressaisir? Comment regagner le coeur de Julie? Car c'est cela qui cause son angoisse, ce soir. Il vient de s'apercevoir de sa solitude, de son isolement. Tant que Julie était à ses côtés, il ne s'en apercevait pas, mais maintenant qu'il est sur le point de la perdre, ses sentiments se sont affinés, et il mesure pleinement son effroi.

Lorsque Julie est venue le sortir de sa torpeur, n'était-ce pas parce qu'elle souhaitait retrouver en lui l'amoureux des beaux jours? Ou bien était-elle simplement excédée par sa mauvaise humeur et sa dépression? Paul est dérouté. Il n'a personne à qui se confier. Ses camarades de l'hôpital ne sont jamais devenus des confidents. Ses autres amis sont mal à l'aise lorsqu'ils le voient dans son fauteuil roulant, ils parlent de la pluie et du beau temps, mais personne ne lui demande comment il se sent, ou ce qu'il souhaite vraiment faire maintenant qu'il est de retour à la maison. Certains l'encouragent à participer à diverses activités, mais ils parlent sans réfléchir, ils ne pensent qu'à meubler le silence.

Paul se hisse péniblement sur son lit et réussit tant bien que mal à se glisser sous les couvertures. Avant d'éteindre, il jette un regard sur les nombreux souvenirs qui décorent sa chambre. Les trophées, les photos, tout cela n'a plus aucune importance. Il ne veut plus vivre dans l'amertume et le regret. Son passé est révolu, il doit s'adapter au présent, foncer dans sa nouvelle vie avec courage. Mais il se prend à douter de ses forces. Il doit regagner le coeur de Julie, sans quoi il est perdu.

CHAPITRE DIX-SEPT

Le lendemain du souper avec monsieur Gaulin, Julie, bouleversée, décide de se confier à sa mère. Celle-ci passe quelques jours à la maison avant de retourner à New York, où elle doit séjourner encore quelque temps.

Julie est troublée par ce qui s'est passé au restaurant. En dépit de son amour pour Paul, elle se sent attirée par Michel, qui se montre toujours si gentil, si délicat. Elle mange distraitement, absorbée dans ses pensées.

Sa mère l'observe d'un air inquiet.

— Qu'est-ce qui ne va pas, Julie?

— Oh, maman ! Si tu savais comme je suis malheureuse ! Paul est encore furieux contre moi. Elle lui raconte ce qui s'est passé la veille :

Il est parti du restaurant avec monsieur Gaulin, l'air boudeur, il a refusé de monter avec moi. Je ne me sens plus la force d'endurer ses sautes d'humeur, ses colères. Je me demande parfois si je l'aime encore.

— Écoute-moi bien, ma chérie, tu n'as rien à te reprocher, tu n'as pas à te sentir coupable. Ton père et moi, nous sommes très fiers de toi. Le dévouement, la patience que tu as témoignés à

Paul, ça ne se voit pas souvent chez une fille de ton âge. Crois-moi, tu as beaucoup contribué à sa réadaptation, tu l'as aidé à retrouver son courage et à passer à travers les moments les plus difficiles. Tel que je connais Paul, je suis certaine qu'il parviendra à s'en tirer, mais ça sera long, très long. Tu as compris tout cela, ces derniers jours, et maintenant, tu dois songer à toi, à tes études, à ton avenir. Vous n'êtes encore que des adolescents et vous êtes beaucoup trop jeunes pour vous sentir liés pour la vie. À ton âge, on éprouve des sentiments excessifs, on croit que c'est l'amour avec un grand A, puis on retombe sur ses pieds. Tu verras qu'on peut connaître l'amour plus d'une fois quand on a seize ans.

— Mais maman, je n'ai jamais pensé à d'autres garçons. Paul est toute ma vie. Pour moi, il n'y avait que lui. Nous nous entendions si bien tous les deux et nous avions fait de si beaux rêves !

— Eh oui, ma chérie, c'est bien le propre de la jeunesse de faire des beaux rêves, mais la vie se charge de vous ramener à la réalité, un peu durement parfois, comme dans le cas de Paul. Tu dois continuer à lui témoigner beaucoup d'affection, mais tu dois lui faire comprendre que vous êtes trop jeunes pour vous prendre aussi au sérieux, dans son intérêt comme dans le tien. Il aura besoin de toutes ses forces pour retrouver l'usage de ses jambes, et il ne doit pas les gaspiller à de vaines bouderies chaque fois que tu regardes un autre garçon. Et si c'est vraiment lui, l'homme de ta vie, vous vous retrouverez un jour lorsque vous aurez plus de maturité.

Julie embrasse sa mère, soulagée d'avoir pu lui confier ses problèmes. Elle lui a enlevé le poids qu'elle avait sur le coeur. En effet, peut-être a-t-elle dramatisé un peu trop sa relation avec Paul, elle se sent tout à coup comme une petite fille ; elle se rend compte que si elle n'est plus une enfant, comme le dit si bien son père, elle n'est pas encore une femme, et, depuis presque un an, elle assume des reponsabilités d'adulte bien lourdes à porter.

Excuse-moi, maman, mais j'ai besoin de réléchir à tout cela. Merci de tes conseils, cette conversation m'a fait beaucoup de bien.

Monsieur Ducharme arrive dans la salle à manger en chantonnant un air d'opéra. Ses plaisanteries réussissent à détendre Julie, qui se sent de nouveau heureuse.

— Papa, tu aurais dû faire carrière comme chanteur, les foules auraient été à tes pieds !

— Je le sais bien, mais je préférais laisser la chance aux autres. Je les aurais privés de leur gagne-pain !

— Quel sens du dévouement, tu m'épates. Heureusement, tu as ta femme et ta fille comme public.

— C'est vous deux qui êtes chanceuses de pouvoir m'entendre. C'est un rare privilège, tu sais !

Julie regarde ses parents. Ils ont l'air heureux tous les deux, toujours amoureux après vingt ans de vie commune. Elle les envie, car ils représentent tout ce dont elle avait rêvé pour Paul et elle. La complicité, la franchise, le respect mutuel. Stop ! Elle ne doit pas s'apitoyer sur son sort. Sa mère a raison, elle est encore jeune, elle doit faire confiance à la vie.

— Allons, je vous laisse à vos amours ! Je m'en vais chez Mado pour l'avant-midi. À plus tard.

Julie trouve Mado vautrée sur une chaise longue, bronzée à point, papier et stylo sur les genoux.

Elle est complètement immobile, engourdie jusqu'à la moelle.

— Bonjour, Julie, dit Mado d'une voix dolente, je suis contente de te voir, je voulais écrire, mais je suis comme un lézard au soleil, je me délasse, je me prélasse. Malheureusement, mon cerveau est en panne, je n'ai aucune inspiration.

— Allons donc, toi, tu n'as pas d'inspiration ! Telle que je te connais, ça me surprend beaucoup. Dis plutôt que tu as envie de jouer les paresseuses ce matin.

— Tu as raison, je n'ai pas envie de faire d'effort. Après tout, je mérite bien un petit repos. Et toi, comment vas-tu? Où en es-tu avec Paul?

— Je ne sais plus très bien où j'en suis.

— Ah bon, qu'est-ce qui se passe?

Julie lui raconte les derniers événements, le bonheur qui semblait retrouvé, puis la scène de jalousie au restaurant.

— J'étais encore malheureuse, mais je viens d'avoir une bonne conversation avec ma mère, et tu ne peux pas savoir à quel point ça m'a fait du bien.

— Qu'est-ce qu'elle a bien pu te dire? Je suis très curieuse, et puis, après tout, je suis ta meilleure amie !

— Bon, je me sentais encore coupable après la scène du restaurant. Mais en même temps, je lui en voulais, alors j'ai tout raconté à maman. Tu la connais, elle est si compréhensive, si chaleureuse.

— Oh oui ! Je l'adore, elle est super !

— Elle m'a fait comprendre que si ce qui est arrivé à Paul est terrible, j'avais, quant à moi, pris la situation un peu trop au tragique, que j'avais fait plus que ma part pour Paul.

— Tu lui as consacré presque un an de ta vie, en négligeant tes amis, tes études et tout le reste, c'est vrai.

— Ma mère m'a dit que je l'avais beaucoup aidé, mais que je devais penser aussi à moi. Je suis beaucoup trop jeune pour engager ma vie ; l'automne prochain, j'irai à l'université, je me ferai de nouveaux amis. Paul va devoir rester ici pour sa physiothérapie et ses études. Ma mère croit qu'il serait bon que nous soyons séparés pour quelque temps.

— Mais elle a tout à fait raison, s'écrie Mado. C'est ce que j'essayais de te faire comprendre quand je te suggérais de sortir avec Michel ou avec d'autres garçons. Paul et toi, vous vous preniez beaucoup trop au sérieux. Roméo et Juliette se sont aimés à seize ans, mais ils en sont morts, n'oublie pas.

— Et toi et Charles, alors?

— Charles, c'est un bon copain, pour le moment, mais je n'ai jamais pensé que c'était pour la vie. Allons donc, sérieuse à seize ans, ce n'est pas possible.

— Qu'est-ce que tu dis?

— Je dis ce que je pense. J'ai connu une peine d'amour, ça me suffit.

Comme si elle retrouvait un peu d'énergie dans le feu de la discussion, Mado se soulève et dit en riant :

— Il faut profiter de notre jeunesse, de nos lendemains pleins de promesses ; la vie sérieuse et ses responsabilités, c'est pour plus tard, beaucoup plus tard.

Julie ne peut s'empêcher de rire devant l'enthousiasme de son amie.

— Qu'as-tu l'intention de faire? demande-t-elle.

— Étudier, faire du théâtre, écrire, voyager, faire plein de choses. Des choses sages, et pourquoi pas, des choses folles! Je ne veux pas m'engager tout de suite. Je veux rêver, faire des projets. Si je suis déçue, tant pis. Je mettrai ça au compte de l'expérience.

— Oh! C'est toute une sortie! Tu m'as l'air très convaincue! Et l'amour, qu'en fais-tu dans tout cela?

— L'amour, je n'ai rien contre, mais j'espère que ça ne m'arrivera pas avant plusieurs années. Je ne suis pas du tout pressée, mais je ne prétends pas résister à tout prix. J'espère juste que je ne tomberai pas trop tôt amoureuse.

— Eh bien, je suis plus romanesque que toi. Les rêves que je faisais avec Paul me comblaient, nous étions si bien ensemble avant ce malheureux accident. Pourquoi fallait-il que ça lui arrive à lui?

— Ta mère a raison, Julie, c'est une amitié amoureuse. Vous avez les mêmes goûts, les mêmes activités, mais vous êtes beaucoup trop jeunes pour faire des projets d'avenir, bien d'autres choses que l'accident de Paul peuvent vous séparer.

— Mais comment faire comprendre cela à Paul? Dans l'état où il se trouve, c'est impossible. J'ai peur qu'il ne retombe dans sa dépression, et ça, je ne pourrais pas me le pardonner.

— Il faut y aller doucement, ne rien brusquer. Dans quelque temps, tu pourras lui expliquer que tu tiens toujours à lui mais que tes parents ne sont pas d'accord pour que vous fassiez des projets d'avenir.

— Il va croire qu'ils le rejettent parce qu'il est handicapé.

— Tu lui expliqueras que c'est à cause de l'âge et que, de toute façon, il sont convaincus qu'il va réussir à surmonter ses problèmes. Dis-lui qu'ils n'ont aucune objection à ce que vous continuiez à vous voir, mais en étant libre chacun de votre côté.

— Et tu crois que Paul va accepter ça?

— Sur le coup, il le prendra peut-être mal, mais il est intelligent et il va se rendre compte que tes parents ont raison, qu'il est dans votre intérêt à tous les deux de suivre ces conseils.

— Je ne pourrai jamais lui dire ça.

— Bien oui, tu y arriveras. Ce n'est pas une rupture, c'est simplement une décision sage.

— Il va croire que c'est à cause de Michel.

— Et puis? Est-ce qu'on peut être certaine de ses sentiments à seize ans? Avoue que tu es un peu attirée par Michel. Tu vois, tu rougis! Tu ne te comprends plus toi-même.

— Quand ça vient de toi, tout semble facile. Je voudrais bien t'y voir, si tu étais engagée comme je le suis.

— Je le sais bien, c'est toujours plus facile de donner des conseils que de les suivre.

— Sage Mado, dramaturge en herbe! J'envie ton assurance. J'essaierai de méditer sur tout cela.

CHAPITRE DIX-HUIT

Le lendemain, après une nuit tourmentée où elle a mis longtemps à s'endormir, tournant et retournant toutes ces questions dans sa tête, Julie se demande si Paul va lui téléphoner ou si elle devrait aller le voir chez lui. Il avait l'air si triste l'autre soir, quand il est parti avec monsieur Gaulin. Elle a le coeur serré rien que d'y penser. Ce n'est sûrement pas le moment d'avoir une explication avec lui si jamais elle se décide à suivre les conseils de sa mère et ceux de Mado. Si Paul ne lui a pas téléphoné d'ici l'heure du lunch, elle ira le voir, car elle n'a qu'une envie, c'est de le serrer dans ses bras.

Après le déjeuner, elle fait sa toilette et sort une de ses plus belles tenues sport. Elle veut se mettre en beauté pour Paul aujourd'hui.

Tout à coup, elle entend un coup de klaxon. C'est lui, il vient la chercher. Elle descend au rez-de-chaussée à toute vitesse et sort sur le trottoir devant la maison. Paul lui fait signe de s'approcher, il sourit. Elle se précipite, monte à côté de lui dans sa voiture et se jette à son cou. Il l'embrasse longuement et dit :

— Julie, il faut que je te parle. J'ai beaucoup

réfléchi depuis l'autre soir et j'ai compris bien des choses.

— Non, oublie tout ça. Nous allons être heureux comme avant.

Paul lui met la main sur la bouche et continue.

— Il faut que tu m'écoutes, c'est important. Je me suis rendu compte que j'étais devenu très égoïste. Je ne veux plus que tu te sentes obligée de t'occuper de moi comme tu l'as fait depuis l'accident. Je sais à quel point mon attitude a dû être difficile à accepter. Non, ne proteste pas, tu as été si douce, si patiente, si fidèle même, quand tu aurais pu me prendre au mot et me laisser à mes frustrations et à mes découragements. Toute ma vie, je te serai reconnaissant de ne pas l'avoir fait, car tu m'as donné le courage de me ressaisir. Mais si je t'aime toujours autant, plus même qu'avant, je veux que tu te sentes libre, je veux que tu sortes avec d'autres garçons, avec Michel, si tu te plais avec lui. Je sais que tu m'aimes, toi aussi, mais tu finiras par te lasser, et ton amour deviendra de la pitié. Pour moi, ce serait pire que tout.

Julie se presse contre lui et murmure :

— Non, jamais.

Paul insiste :

— Allons, ma petite chérie, nous avons bien le temps, nous pouvons nous permettre d'attendre quelques années. Moi, je vais m'attaquer de toutes mes forces à cette maudite paralysie, toi, tu auras tes occupations. Je veux que tu continues à être une championne de natation et de tennis. Je veux que tu t'amuses en pensant à moi comme quelqu'un de joyeux, qui t'aime.

— Est-ce que nous allons continuer à nous voir, à sortir ensemble? demande Julie, les yeux pleins de larmes.

— Bien sûr ! J'y compte bien. Je ne peux pas me passer de toi, tu le sais bien. Qu'est-ce que je ferais sans ta tendresse, sans tes caresses?

— Et moi, qu'est-ce que je ferais sans toi?

— Tu vas voir, tout va s'arranger. Dans deux ou trois ans, si nous nous aimons toujours autant, alors il sera temps de recommencer notre beau rêve.

Dans la même collection

- Cindy
- Mon premier ami
- Des vacances de rêve
- Reine d'un jour
- Le printemps de l'amour
- Amour secret
- Vivre mes seize ans
- 16 ans à peine
- Un choix difficile
- Un amour impossible
- Les rêves d'Ellyne
- Un été qui promet
- La soeur de l'autre
- Qui va m'accompagner
- Une lointaine promesse
- Julie
- Un appel pour toi
- Des baisers à vendre
- L'ami idéal
- Sauvée par l'amour
- L'amour de Christie
- Amour et rock
- Apprendre à dire non
- L'amour de sa vie
- Quand les rêves se réalisent
- Coup de foudre
- Un si beau rêve
- Une vraie jeune fille
- Quand l'amour naît
- Pourquoi pas lui
- Vivre sans toi
- La rivale
- Amours de jeunesse
- Aimer sans limites
- Elle s'appelait Été
- Pour un baiser
- Une fille frivole
- Un amour caché
- Je veux un ami
- Le garçon d'à-côté
- Écoute ton coeur
- Mon coeur balance
- Pris au piège
- Sur la pointe des pieds
- Une histoire d'amitié
- Écris-moi tous les jours
- Je rêve d'un ami
- Trop parfaite
- Un garçon pas ordinaire
- Une heureuse surprise
- J'irai jusqu'au bout
- Devenir quelqu'un
- Angélina

ACHEVÉ D'IMPRIMER
EN OCTOBRE 1988
SUR LES PRESSES DE
PAYETTE & SIMMS INC.
À SAINT-LAMBERT, P.Q.